Les décennies 1990 et 2000 ont vu la construction progressive d'un, voire plusieurs nouveau(x) média(s) reposant sur des technologies numériques. Ceux-ci s'appuient sur une palette de nouveaux supports à la rencontre de l'informatique et des télécommunications, dont l'Internet est aujourd'hui le plus largement diffusé. Cela ne doit pas faire oublier que la notion de presse en ligne a précédé le Web [Pélissier, 2001]*, se nourrissant d'innovations technologiques foisonnantes, prenant appui sur des supports plus localisés ou plus éphémères, en tout cas pas encore unifiés : télétexte sur le câble en Amérique du Nord, télétexte hertzien diffusé en Europe (Antiope pour la France), réseaux vidéotex développés par les opérateurs de télécommunications européens, tels Prestel au Royaume-Uni, le Bildschirmtext en Allemagne et surtout Télétel et le Minitel en France [Burkhardt, 1984]. De la même manière, cette presse en ligne déborde la forme de l'Internet accessible par ordinateur pour gagner un éventail de supports complémentaires, qu'il s'agisse du téléphone mobile ou d'un « troisième écran » (*e-paper*, liseuse, tablette).

À l'intérieur même de la diversité des contenus et services qui ont fait leur apparition depuis un peu plus d'une vingtaine d'années sur les supports numériques, une partie de ceux-ci embrassent l'information, au sens journalistique. Il peut s'agir

* Les références entre crochets renvoient à la bibliographie en fin d'ouvrage.

d'actualité à l'initiative des grands quotidiens dont l'image est désormais reconnue, tels Nytimes, Guardian, Repubblica, Sueddeutsche ou encore Lemonde. Il faut également compter avec du commentaire, de l'analyse, de l'enquête, de la critique, de l'expertise ou du service. Les sites jouissant de la plus forte notoriété proposent une information généraliste et diversifiée, mais les contenus offerts peuvent être également très spécialisés, en économie, en sport et dans tous les domaines possibles. Un temps, l'information de la presse en ligne est restée modeste, très dépendante des médias qui la développaient, largement ignorée du grand public. Elle a pris progressivement les contours d'un authentique média d'information à partir de la seconde moitié des années 1990 aux États-Unis. Avec quelques années de décalage, l'Europe et singulièrement la France ont suivi. Le début des années 2010 voit plusieurs centaines de sites de presse en ligne occuper une véritable place dans le traitement de l'actualité et de l'information politiques, économiques, sociales, culturelles, etc. Ils offrent aussi bien de l'information immédiate, très factuelle, que de l'enquête, du reportage, de l'interview, de l'expertise dans des domaines très étendus. Leur écriture se recompose rapidement, associant le texte, le son, l'image fixe et vidéo, le lien. Les formes de journalisme qui y concourent sont diversifiées et inventent des manières de travailler, de combiner les récits et les écritures, de concevoir le rapport au public, la coopération avec celui-ci, dans des termes inusités.

La presse en ligne n'est pas stabilisée. En même temps, elle occupe désormais la place du quatrième média d'information grand public, avec des rédactions propres, parfois des entreprises spécifiques (les *pure-players*), des journalistes formés et dotés d'une compétence *ad hoc*. Même si son écriture, ses formats, ses manières d'appréhender les événements, les questions, les sujets, qu'ils soient politiques, économiques, sociaux ou culturels, sont encore dans une grande parenté avec les médias dont la majorité des journalistes, des équipes, des entreprises se trouvent issus, il ne fait plus de doute que de véritables formes originales, spécifiques au média en invention, prendront leur essor dès les premières années de la décennie 2010. Telle est en tout cas la motivation de proposer un livre qui soit une

Jean-Marie Charon
Patrick Le Floch

La presse en ligne

La Découverte
9 *bis*, rue Abel-Hovelacque
75013 Paris

Si vous désirez être tenu régulièrement informé des parutions de la collection « Repères », il vous suffit de vous abonner gratuitement à notre lettre d'information mensuelle par courriel, à partir de notre site **http://www.collectionreperes.com**, où vous retrouverez l'ensemble de notre catalogue.

ISBN : 978-2-7071-5774-4

enquête et une analyse sur cet objet particulier que constitue la presse en ligne.

Définition de la presse en ligne

Parler de presse en ligne ne va pas de soi et nécessite d'entreprendre la définition de celle-ci. La notion de presse en ligne fait d'abord référence à un contenu d'information produit dans le cadre d'un projet éditorial. L'information véhiculée par des supports numériques est une notion beaucoup plus large, allant de la simple donnée au propos le plus élaboré. L'information de presse se situe explicitement dans le cadre des médias et de leur rôle traditionnel dans une société : exercer un rôle de médiateur entre les événements, les phénomènes, les problèmes qui parcourent une société et chacun des membres de celle-ci. Historiquement, ce rôle va se formaliser et se professionnaliser au travers des médias et des personnels qui traitent l'information proprement dite, les journalistes. De ce point de vue, la presse en ligne est la mise en œuvre de ce rôle en s'appuyant sur les fonctionnalités et les potentialités des technologies numériques en ligne, dans sa forme devenue familière de l'Internet. C'est dire qu'à côté de la presse en ligne circule une masse d'informations qui n'est pas journalistique et ne relève pas de celle-ci. De même, des projets éditoriaux participant de l'expression, du témoignage, de l'analyse d'expert sont également développés sur les supports numériques sans être automatiquement de la presse en ligne.

La presse en ligne offre un contenu qui est le fruit d'un traitement journalistique. Par là, il faut entendre d'abord la recherche, la collecte, l'analyse et la présentation des faits. C'est également la présentation des nouvelles, des événements, de l'actualité, disponibles sur le fil des agences, dans les principaux médias d'actualité, ainsi que sur le Web lui-même et ses multiples sources, du blog individuel à la plus institutionnelle. C'est bien sûr le choix des sujets les plus signifiants, l'élaboration d'une hiérarchie, la validation de contenus proposés par les non-journalistes. C'est enfin l'accueil et la modération des différentes formes de contribution issues du public lui-même. La notion de traitement journalistique est d'autant plus souple que les frontières entre producteurs d'information, contributeurs aux contenus (notamment l'expertise, l'expression citoyenne) sont, avec Internet, devenues plus floues ou poreuses, en constante redéfinition. Parler de presse en ligne ne participe pas d'une approche juridique ou corporatiste d'un univers foisonnant, se recomposant sans cesse. Il s'agit plutôt de cerner une forme d'activité et de contenus particuliers des médias numériques renvoyant au rôle spécifique de la presse dans les sociétés démocratiques.

Pour aborder les contours d'un média encore très hétérogène et éminemment évolutif, la démarche employée s'est voulue d'abord empirique. C'est dire que la présente analyse est fondée sur l'enquête, l'observation directe, auprès d'une trentaine de sites d'information et d'entreprises éditrices, intervenant pour la plupart en France. Les données et observations recueillies sont mises en perspective avec les données disponibles concernant les situations et expériences, menées ailleurs dans le monde, principalement aux États-Unis ou chez nos voisins européens. Un tel parti pris tient au fait qu'en matière de média prévaut toujours une forte dimension nationale, qu'il s'agisse des pratiques professionnelles, des formes éditoriales, mais aussi des goûts et comportements du public, sans oublier le contexte juridique et institutionnel. S'il ne fallait qu'un exemple de ces spécificités nationales de la presse en ligne en France, il concerne le rôle qu'a pu jouer la stratégie de la Direction générale des télécommunications (DGT) en matière de vidéotex et la distribution de millions de Minitel gratuits aux abonnés du téléphone. Cette stratégie a conduit cette même DGT (dont est issue France Télécom-Orange) à mettre en place un système de tarification permettant de rémunérer les fournisseurs de contenus à la durée des consultations. C'était la formule du « kiosque ». Celui-ci a permis à la presse française d'entrer rapidement et solidement dans une activité d'édition électronique, rentable, parfois même très rentable. En même temps, le Minitel et le kiosque ont agi comme une drogue, les éditeurs d'information repoussant à plus tard leur investissement significatif vers le Web qui ne disposait pas d'un public potentiel aussi important, ni de la possibilité de lui faire payer les contenus, sinon par des formules d'abonnement plus complexes et hasardeuses. Les structures, l'organisation collective qu'ont mises alors en place ces éditeurs, en l'occurrence le Geste, font partie de celles qui représentent encore, vingt ans plus tard, les fournisseurs de contenu du Web.

Il existe une spécificité qui doit être clairement identifiée, mais simultanément se multiplient les emprunts, reprises, adaptations des approches étrangères, avec une primeur accordée aux références anglo-saxonnes, principalement nord-américaines. Le phénomène est bien sûr renforcé par le caractère très international des technologies, du support, de certains intervenants, éditeurs ou acteurs partenaires incontournables de ceux-ci, fournisseurs d'accès et agrégateurs. Pour autant, il serait probablement erroné de postuler un processus linéaire d'uniformisation mondiale des contenus, des structures, des méthodes de travail, des pratiques du public, voire du modèle économique. L'analyse ne peut donc faire l'économie d'une mise en perspective, d'un va-et-vient entre le local et le global. Le tout s'insère dans un contexte de très haute incertitude et d'évolutivité.

I / Naissance de la presse en ligne

L'informatisation de la fabrication des journaux (dès la fin des années 1960 en Amérique du Nord), puis du traitement des textes eux-mêmes, incite très tôt quelques titres de la presse écrite à proposer leur documentation, voire une sélection de nouvelles, sur les supports téléinformatiques et télématiques. Le développement de réseaux télématiques grand public en Europe et singulièrement en France est l'occasion de préfigurer une forme rudimentaire de presse en ligne. La diffusion de l'Internet constitue le véritable développement à l'échelle planétaire d'un nouveau média d'information qui justifie alors pleinement l'appellation de presse en ligne. L'accroissement des débits contribue à ce que radios et télévisions rejoignent les titres de presse écrite dans un premier essor qui connaît un coup d'arrêt avec l'éclatement de la « bulle Internet ». Nombre de sites doivent revoir leurs ambitions, ralentir leur développement, ce qui n'empêche pas que la seconde moitié de la décennie 2000 connaisse un nouvel enrichissement de l'offre de contenus lié aux fonctionnalités du « Web 2.0 », alors même qu'une génération de sites dits *pure-players* fait son apparition dans le domaine de l'information politique et générale, le plus souvent à l'initiative de journalistes.

Les prémices

La notion de presse en ligne précède le développement de réseaux d'information grand public, dits « télématiques », surtout en France et en Europe dans les années 1980, puis celui d'Internet dès les années 1990. Le premier quotidien de renom à prospecter l'idée de la mise à disposition d'informations numérisées *via* les divers réseaux disponibles est le *New York Times* qui, de 1968 à 1972, conduit études et développement pour la mise à disposition de sa documentation et de son contenu sous forme de « banques de données d'information grand public » [Charon, 1991]. Il crée une filiale chargée de l'exploitation de celles-ci sous le nom de NYTIS. Cependant, faute de rentabilité, il est contraint de céder celle-ci au groupe Mead, spécialisé dans les banques de données professionnelles. Entre-temps, d'autres quotidiens ont tenté de s'engager dans la même voie, tel le *Boston Globe* ou le *Christian Science Monitor*. C'est cependant la presse économique qui s'engage le plus loin dans cette voie, avec un certain succès, en s'appuyant sur des réseaux de téléinformatique spécialisés. En 1978, le *Wall Street Journal* et l'hebdomadaire *Barron's* lancent Dow Jones News/Retrievel, constitué de trois banques de données (historique des cours de Bourse, vie des sociétés, analyses), ainsi que la transmission des indices financiers et des cours de Bourse en temps réel. Ces premiers services en ligne peuvent être reçus sur des terminaux dédiés ou des micro-ordinateurs. En 1982, la filiale du groupe exploitant Dow Jones/Retrievel emploie 150 personnes et compte 55 000 abonnés. En 1986, ce chiffre est porté à quelque 200 000 abonnés [Burkhardt, 1984]. Au Japon, le groupe Nikkei, éditeur du *Nihon Keizai Shimbun*, adopte une stratégie similaire.

En Europe, la notion de presse en ligne, ou « journal électronique » pour reprendre les termes de l'époque, accompagne les stratégies dites « vidéotex » des opérateurs de télécommunications Bristish Telecom avec Prestel, Deutsch Telekom avec le Bildschirmtext et, surtout, la Direction générale des télécommunications avec son service Télétel qui se traduit pour les foyers français par l'installation gratuite de plusieurs millions de petits terminaux spécialisés chez les abonnés du téléphone, les

Minitel. Dans chacun de ces pays, les opérateurs de ces services télématiques grand public recherchent le partenariat des entreprises de presse pour y proposer le traitement de l'actualité, générale ou spécialisée (sports, économie). Pour la France, en 1981, un organisme fédérant les différents syndicats de presse quotidienne (le CTIR) ouvre JEF (pour « Journal électronique français ») dans le cadre de l'expérimentation de Vélizy. De son côté, les *Dernières Nouvelles d'Alsace*, à Strasbourg, conduit l'expérimentation Gretel, au cours de laquelle est mise au point et testée la première « messagerie dialogue », soit l'échange entre deux interlocuteurs en temps réel. Celle-ci fait les beaux jours des services Minitel des années 1980, au-delà de la presse, même si des titres comme *Le Parisien, Libération, Le Nouvel Observateur, Sud-Ouest, La Voix du Nord*, etc. y occupent toute leur place. En matière d'information économique, c'est le Petit Poucet de l'époque, *La Cote Desfossés* (absorbé depuis par *La Tribune*), qui s'engage avec détermination dans cette voie avec l'appui du système de rémunération, dit du « kiosque », développé par la DGT [Charon, 1991].

Le kiosque comporte plusieurs paliers de tarification, identifiés par des numéros d'appel (3614, 3515, 3617...). La DGT perçoit une part fixe pour le transport, le solde étant versé directement au fournisseur de contenu. Le kiosque comporte des niveaux dits professionnels, élevés, permettant de rémunérer une information rare et chère. L'exploitation commerciale de cette première génération de presse en ligne, aisément rémunérée par cette formule de partage des recettes de consultation, à la durée, entre l'opérateur et l'éditeur, est très fructueuse pour nombre d'entreprises de presse. D'aucuns y voient une explication possible du retard pris pour s'engager sur Internet, lorsque celui-ci commence sa diffusion dans le grand public. Pour la presse en ligne, il s'agit d'abandonner un support où l'information est rémunérée directement par l'utilisateur pour un support offrant un potentiel infiniment plus riche pour le traitement du contenu, mais dont le financement est des plus incertain.

Les premiers pas sur Internet

Au risque de simplifier, il est possible de dire que l'Internet de la première décennie, celui des années 1980, est essentiellement universitaire et institutionnel, alors que son ouverture, au moins théorique, au public ne se fait qu'à partir de 1991, en réalité le milieu de la décennie. L'Internet Society est créée en 1992, année où l'on ne compte qu'une cinquantaine de sites à travers le monde. Très vite, les premiers journaux en Amérique du Nord, mais également en Europe (plutôt du Nord également), créent leurs premiers sites Web. Le *Chicago Tribune* hébergé par AOL fournit ses premières informations sur Internet dès cette année-là. Il s'agit alors essentiellement de textes, de quelques photos et graphiques, repris du contenu même du journal. Rapidement, les journaux, du moins aux États-Unis, forts de leur ancrage local, s'emploient à capter sur leurs sites des activités de transactions commerciales, d'accueil de différents services, constituant une ébauche de portails, dont ils escomptent une contribution substantielle à la rémunération du nouveau média [Pélissier, 2001 ; Rebillard, 2009].

C'est en 1995 que les premiers quotidiens français s'engagent à leur tour sur le Web. Parmi eux se retrouvent le plus souvent des quotidiens nationaux et régionaux qui font évoluer leurs structures télématiques, voire multimédias (ayant produit des Cd-roms), sur Internet. *Le Monde* a créé un service multimédia dès 1994. Il propose ses premières informations sur le service de Infonie en avril 1995. *Libération, Le Parisien, L'Humanité* ouvrent leurs propres applications. En région, les *Dernières Nouvelles d'Alsace* et *Nice Matin* précèdent de quelques mois *Ouest-France, Le Télégramme, La Voix du Nord* ou *Le Progrès de Lyon*. Les structures sont très modestes, reprenant le contenu imprimé sur le support numérique : deux personnes à *La Provence,* trois au *Télégramme* ou à *Ouest-France,* quatre au *Monde* et à *Libération,* etc. Quelques rares journalistes interviennent aux côtés d'informaticiens, voire de « concepteurs télématiques », comme à *Libération* ou avec SDV, la filiale multimédia des *Dernières Nouvelles d'Alsace* [Cavelier-Croissant, 2002].

Dans cette phase initiale de l'engagement de la presse sur Internet, les groupes les plus puissants ont du mal à situer leur place et le cœur de leurs activités sur le nouveau support. Forts de leur expérience et d'un accès direct au grand public, ils peuvent s'imaginer jouer parmi les premiers rôles en matière de fournisseurs d'accès (FAI). C'est ainsi que le *Chicago Tribune* prend une participation de 10 % dans AOL, qu'il gardera près d'une décennie. Bertelsmann et Vivendi Universal investissent dans AOL Europe. Lagardère, quant à lui, crée sa propre structure : Club Internet. Point d'orgue d'un rapprochement spectaculaire, Time Warner, premier groupe mondial de communication, avec ses magazines (*Time, Fortune*, etc.), ses chaînes du câble (HBO...) et du satellite (CNN...), son édition vidéo et de livres, etc., fusionne en janvier 2000 avec AOL, fort de ses 35 millions d'abonnés dans le monde. Cette fusion entraîne le retrait de Bertelsmann et Vivendi Universal d'AOL Europe en tant que concurrents directs de Time Warner sur le marché nord-américain. Quelques mois plus tôt, Lagardère a cédé Club Internet, qui ne comptait que 320 000 abonnés, à une filiale de Deutsch Telekom. Les uns et les autres déclarent alors se « recentrer » sur le rôle de fournisseur de contenus [Charon, 2008].

Pour autant, la question reste ouverte quant à la nature de ces contenus : information générale (en particulier l'actualité), services, commerce, petites annonces. Faut-il se concentrer sur la seule information journalistique, à la manière du *Monde* ou de *Libération* ? Faut-il proposer ceux-ci combinés les uns aux autres sous la marque commune d'un titre de presse ou est-il plus performant de créer des sites distincts et spécialisés sur chacune de ces fonctions ? Nombre de titres de presse locale nord-américaine optent davantage pour la première, alors que des groupes tels que le norvégien Schibsted s'engagent dans la seconde en multipliant sites d'annonces spécialisés (immobilier, emploi, etc.), sites commerciaux et sites de service. Une voie qu'empruntent, en France, *Ouest-France* et sa filiale de gratuits d'annonces Spir Communication, d'ailleurs pour partie en partenariat avec le précurseur norvégien, avec la multiplication de sites locaux Maville et Leboncoin.

Réseaux télématiques ou réseaux permettant de connecter des micro-ordinateurs, les débits sont faibles et les normes d'affichage contraignantes : les uns et les autres offrent essentiellement du texte, quelques graphismes ou images pauvres. Il est donc logique que la presse écrite soit le média le plus apte pour se diversifier dans cette voie, au point de parler dans ce cas d'un axe privilégié « texte-informatique ». Internet, par l'évolution de ses fonctionnalités, même avec des débits encore relativement modestes, va rapidement lever la barrière des sons, puis progressivement de l'image animée. Il n'en faut pas plus pour voir arriver radios et télévisions, quitte à ce que ce soit au prix de la mise en place d'équipes dédiées substantielles comme dans le cas de CNN. Toujours est-il que, en 1996, ESPN (et SportZone, de la chaîne sportive ESPN) est le site américain le plus consulté dans la catégorie « sites à contenu éditorial » : il précède alors C/Net Online, site du magazine télévisé C/Net. En Europe comme en France, les grandes chaînes de télévision, comme les radios, publiques et privées, se lancent à leur tour (BBC, Canal+, France Télévision, Radio France, TF1...). Dans cette période, les radios connaissent l'avantage de pouvoir diffuser sans trop de difficulté des fichiers son (proposition de flash d'information par Radio France, par exemple), alors que, pour les télévisions, la proposition de sujets vidéo reste problématique.

L'emballement

L'accélération des développements et des investissements est très rapide et spectaculaire, au point qu'il est possible de parler d'emballement, au premier chef en Amérique du Nord. En 1999, le *Wall Street Journal* dispose d'une rédaction Web de 60 personnes. À *USA Today*, il y a 50 journalistes et 40 au *New York Times* [de Tarlé, 2006]. En Europe, le groupe Pearson emploie 100 personnes à FT.com l'année suivante, ce qui peut paraître peu au regard des 750 salariés de CNN Interactive, mais dans les mêmes proportions que les 90 personnes contribuant en France à M6 Web et la centaine de collaborateurs de eTF1 [Vernardet, 2004]. Les quotidiens français peuvent paraître plus timorés en employant 60 personnes au Monde Interactif, comme aux *Échos*, ou 30 à *Libération*. Les investissements atteignent des niveaux extrêmement élevés, comme pour le groupe Pearson qui dit porter ceux-ci en 1999 à 185 millions d'euros, alors que le site FT.com ne réalise cette année-là qu'un chiffre d'affaires de 9 millions d'euros pour des dépenses de 55 millions d'euros. Bien que d'une moindre amplitude, les pertes sont généralisées : 50 millions de dollars pour les sites du *New York Times* (pour un chiffre d'affaires de 25 millions de dollars), 85 millions de dollars pour le *Washington Post* (pour un chiffre d'affaires de 20 millions de dollars), etc.

La conviction de voir rapidement les développements sur le Web devenir des activités substantiellement rentables se traduit par la création, par nombre d'entreprises de médias, de filiales spécifiques. C'est en tout cas le choix que font les groupes de presse quotidienne américains comme Tribune Company (*Chicago Tribune*), Dow Jones (*Wall Street Journal*), le *New York Times* ou CNN. La même approche est adoptée en Europe par Pearson (*Financial Times*), Editorial l'Espresso, *Il Sole 24 Ore*, *Le Monde* (allié à Lagardère dans Le Monde Interactif), TF1, etc. Ce sont ces filiales qui vont constituer les équipes chargées de réaliser des contenus dont l'ambition sera, en matière d'information générale, de fournir une actualisation d'au moins vingt-deux heures sur vingt-quatre, trois cent soixante-cinq jours par an. Dans le cas de CNN, le site est proposé en quinze langues différentes. Des applications d'e-commerce sont testées par le *New York Times* (Thestreet.com) ou Tribune Company (Food.com).

L'éclatement de la « bulle Internet »

En mars 2000, la bulle spéculative qui n'a cessé de gonfler depuis 1995 atteint son apogée. L'indice du marché électronique sur le Nasdaq à New York aurait été multiplié par cinq en cinq ans. Les valorisations boursières de nombre d'entreprises liées à l'Internet n'ont plus de rapport avec les perspectives d'évolution de chiffre d'affaires et de profitabilité. Les résultats d'entreprises comme AOL Time Warner, Vivendi Universal et bien d'autres sont même extrêmement décevants, conduisant à une perte de confiance en cascade et à un véritable krach. De mars 2000 à l'automne 2002, pratiquement tout le chemin parcouru par les hausses du secteur en cinq ans est perdu. De fait, la purge complète du secteur se poursuivra encore plusieurs années, quasiment jusqu'en 2004. Même si les sites d'information n'ont pas constitué un secteur d'emballement particulièrement spéculatif, nombre d'entreprises de médias qui ont dans les dernières années, voire les derniers mois, de la décennie 1990 sensiblement forcé la cadence en constituant des équipes dédiées nombreuses se trouvent déstabilisées et obligées à revoir leur stratégie. Le choc est d'autant plus violent en France que beaucoup d'entreprises sont de très jeunes converties, à l'image de TF1 qui n'a véritablement substantiellement investi le Web qu'à partir de 1999. La chaîne a créé une rédaction Web qui produit 90 % des contenus proposés sur le site, son investissement pour l'année 2000 s'élevant à 23 millions d'euros [Vernardet, 2004].

C'est à un véritable coup d'arrêt et à un retour en arrière que sont alors confrontés les sites d'information. Faisant face à des pertes massives et une crise de confiance dans les perspectives du Web, les entreprises mettent en veille leurs structures au prix de nombreux licenciements. Les marchés anglo-saxons et tout particulièrement nord-américains sont les premiers touchés. Dès l'automne 2000, Tribune Interactive licencie 34 personnes, pour Thestreet c'est 110 personnes, et 25 pour Salon. En 2001, les choses s'accélèrent encore et sont même plus massives avec 200 licenciements à News Corp, 400 à CNN, 190 à C/Net, 150 à NBCi, 135 à ABC.com, 69 à New York Times Digital, etc. Le site JournalismJob avance le chiffre de 10 000 postes supprimés dans le secteur des médias aux États-Unis en rapport avec l'éclatement de la bulle Internet entre octobre 2000 et avril 2001. En France, comme souvent, l'effet intervient avec un temps de retard, soit à partir de l'été 2001 : Bayard Web passe de 72 à 30 salariés. *Le Figaro* se sépare de 30 personnes et décide de « geler » son site, ce que feront également Europe 1 et *Le Parisien*. Au *Monde*, à TF1 et à *Libération*, des restructurations importantes ont lieu, avec des réaffectations ou des licenciements (des deux tiers de l'effectif dans le cas de *Libération*).

Outre les diminutions d'effectifs, les équipes des sites d'information perdent souvent leur autonomie, les filiales étant réintégrées dans les entreprises éditrices des titres imprimés (News Corp, Tribune Company) quand les rédactions ne sont pas fusionnées (*Financial Times*). Sur le plan éditorial, des sites sont littéralement figés (notamment dans la presse régionale en France). Nombre d'entre eux revoient à la baisse leurs ambitions, proposant des contenus moins originaux, dans des formes plus sobres, avec une marge d'autonomie et des capacités d'innovation affaiblies. Pour les groupes de presse quotidienne, cette période est aussi le moment de recentrer leur intervention sur le Web dans des registres non informatifs, touchant au modèle économique de l'imprimé, à commencer par la question des petites annonces. Aux États-Unis, face à la montée d'acteurs nouveaux tels que Monster, les journaux s'engagent dans des regroupements sur le Web en matière d'annonces d'emploi (jobpilot.com), d'immobilier (realestate.com) et automobiles (car.com).

Les sites d'information à l'ère du Web 2.0

À partir de 2003-2004, de nouvelles fonctionnalités de l'Internet et surtout une transformation dans la conception de ses usages font émerger la notion de « Web 2.0 », associée au nom de Tim O'Reilly, autrement dit la montée du rôle de l'internaute et d'une substantielle interaction avec les utilisateurs dans les applications qui voient alors le jour. C'est la notion de *user generated content* (UGC). Même si cette notion de Web 2.0 et l'idéologie qu'elle véhicule méritent discussion [Rebillard, 2007 ; Bouquillon, 2010], elles peuvent du moins être retenues pour qualifier une nouvelle étape dans la jeune histoire du Web. Les protocoles de messageries disponibles, les standards de navigation qui se diffusent, l'évolution des applications clientes vont permettre, le plus souvent à partir de l'Amérique du Nord, la diffusion des idées de sites contributifs et de plates-formes.

À partir de celles-ci, chaque internaute peut proposer et mettre à disposition textes (Indymedia), images (Flickr), vidéos (MySpace, YouTube), exprimer ses préférences en votant (Digg), commercer (Ebay), proposer des annonces (Craigslist), s'exprimer par le blog (Blogger), contribuer à une œuvre collective (les wiki, à commencer par le plus célèbre, Wikipedia). De nouveaux acteurs font irruption.

Les fonctionnalités simplifiées, qui permettent de passer des « sites personnels » exigeant un certain niveau de maîtrise technique aux blogs, à propos desquels il est possible de parler d'un « effacement » de la technique [Pisani, 2008], remontent à 1999. Les blogs symbolisent un temps le nouvel âge de l'Internet. Ce mouvement est facilité en France par la diffusion désormais rapide de l'ADSL et de ses débits plus élevés (dont la commercialisation remonte, elle, à 1998). Joël de Rosnay [2006] s'en fait le chantre dans *La Révolte du pronetariat*, écrit avec la collaboration de Carlo Revelli, promoteur du site contributif Agoravox. Le Web 2.0 et sa dimension participative ne peuvent pas être non plus disjoints de l'idée même d'un accès facilité aux contenus grâce à la gratuité de ceux-ci. C'est le moment où, pensant pouvoir prendre appui sur une conjoncture économique et donc publicitaire solide, des responsables de médias tels que Rupert Murdoch (propriétaire du *Wall Street Journal* et du *New York Post* aux États-Unis, du *Sun* et du *Times* au Royaume-Uni, etc.), mais aussi les dirigeants du *New York Times*, annoncent clairement la priorité absolue donnée à la gratuité, quitte à abandonner des stratégies d'abonnement (c'est ce qui se passe effectivement pour le *New York Times*, et n'est qu'envisagé sans finalement être effectué pour le *Wall Street Journal*).

Concernant les formes du débat public et l'information générale, le Web 2.0 se traduit d'abord par la vogue des blogs et la question d'un journalisme citoyen, qui s'illustre largement, en France, lors du débat à propos du référendum européen : en 2005, quelques blogueurs manifestent alors une capacité à exposer, décortiquer et critiquer le texte mis au vote, qui fait défaut dans nombre de rédactions. Ailleurs dans le monde, des sites d'information voient le jour sans journalistes, ou seulement quelques-uns chargés de la validation des informations et de la mise en forme finale des contributions, alors que la collecte des nouvelles, l'analyse, le commentaire émanent d'internautes, à l'image du site coréen Ohmynews créé en 2000 [Pélissier et Chaudy, 2009].

Même si la réactivité de la presse en ligne, ébranlée par l'explosion de la bulle Internet, est plus ou moins forte et rapide, le Web 2.0 conduit à une évolution substantielle des sites d'information. Il s'agit d'abord d'intégrer la participation des internautes aux contenus proposés par le site. Non seulement la fonction « commentaire » est ouverte, mais elle donne lieu à une valorisation, tant par la modération qui en est faite que par la place qu'elle prend dans les contenus, éventuellement dans les réponses apportées par les journalistes eux-mêmes. Les internautes ont la possibilité de manifester leur choix et de valoriser les articles en classant ou votant pour ceux qu'ils préfèrent. Une autre forme de présence des internautes est faite d'espaces de discussion sur des thèmes ouverts par la rédaction, animés par des journalistes, sur le modèle des forums. Les *chats*, quant à eux, permettent aux internautes d'interroger, contester, interpeller les invités de la rédaction (politiques, acteurs sociaux, artistes, *people*, etc.). Enfin se trouve posée la question de la place des blogs au sein des sites d'information. Il peut s'agir de blogs de journalistes — à la manière de ces *warblogs* qui ont fleuri lors de la guerre d'Irak en 2003 —, qu'ils aient été créés à l'initiative des journalistes hors du site de leur entreprise ou qu'il s'agisse de profiter de l'invitation des rédactions à l'égard de leurs propres collaborateurs. Cependant, le sujet le plus crucial concerne les blogs de « non-journalistes » : blogs d'experts ou blogs d'internautes ordinaires, mêlés aux blogs de journalistes ou regroupés sur des plates-formes propres, etc.

Le Web 2.0 contribue également à la floraison des *pure-players*, que ceux-ci s'affichent d'emblée comme des sites d'information ou qu'ils se pensent plutôt comme des sites participatifs ou contributifs. Les premiers sites d'information *pure-players* précèdent en fait le Web 2.0, au moins dans des pays ou des continents qui se sont engagés plus tôt dans l'Internet grand public. C'est ainsi qu'aux États-Unis des équipes de journalistes entendent profiter des fonctionnalités du nouveau média et des faibles coûts de création de sites pour lancer de nouveaux titres d'information purement numériques. Les plus connus sont Salon et Slate. En Europe, le phénomène est plus tardif puisqu'il prend vraiment consistance dans les années 2006-2007 avec la multiplication de sites de journalistes, dont certains relèvent plutôt du blog, tel Commentaire en Suisse, et d'autres participent complètement de la presse en ligne, tel Soitu en Espagne, Netzeitung en Allemagne et bien sûr Rue89, Mediapart, Bakchich, Arretsurimages, etc. en France. Des groupes de presse peuvent également faire le choix de créer leurs *pure-players* aux côtés des sites de leurs propres titres à la manière du Monde Interactif avec Lepost ou de E24 pour Schibsted. Des démarches plus participatives, rattachées à l'idée de service, de publics spécifiques, pas forcément conduites par des journalistes, telles que Aufeminin ou Doctissimo, peuvent en revanche rejoindre des groupes de presse (en l'occurrence, Springer et Lagardère).

Les contrecoups de la crise économique

Le déclenchement d'une crise financière, puis économique, d'une ampleur considérable à partir de l'été 2008 ne peut pas ne pas avoir d'effet sur la presse en ligne. En premier lieu, c'est un impact direct sur le marché publicitaire qui se manifeste brutalement, ébranlant les médias, à commencer par les titres de presse quotidienne auxquels sont articulés nombre des sites d'information de par le monde. À très court terme, ceux-ci n'ont plus les moyens de réaliser les investissements humains, intellectuels et techniques permettant de poursuivre les développements des sites d'information. La rétraction du marché publicitaire se traduit également par une stagnation, parfois par un recul inattendu des investissements des annonceurs sur le Web, là où les projections des sites d'information tablant sur une progression de leur audience n'en obtiennent pas la rémunération. Il s'ensuit un retour au déficit pour certains ou le report périlleux des échéances en termes d'un accès à l'équilibre. Ce qui est difficile à supporter pour des entreprises de médias traditionnelles débouche sur un risque rapide de disparition pour les *pure-players* indépendants, d'où les disparitions en cascade, Netzeintung ou Soitu, ce dernier étant pourtant reconnu pour sa qualité par la communauté professionnelle, en l'occurrence l'Online News Association, qui lui avait attribué à deux reprises le prix du « meilleur site de langue non anglaise ». C'est que, au-delà du tassement des recettes pour des entreprises en développement, ce sont également les comportements des investisseurs qui changent, moins enclins à prendre des risques dans un secteur prometteur à moyen terme, mais sans visibilité de son modèle économique à court terme.

La déstabilisation de titres de presse quotidienne incapables de financer leurs coûts d'impression et de distribution précipite également des évolutions parfois envisagées à une échéance plus lointaine, le transfert partiel ou complet de l'imprimé sur le numérique. C'est ainsi qu'en 2009 sont décidés, souvent avec très peu de préparation, des basculements de l'imprimé sur le Web. Ce sont les choix de plusieurs titres de la presse américaine, dont le plus connu, le plus respecté, si ce n'est le plus important, est le *Christian Science Monitor*, de Boston. Il est à noter qu'un quotidien économique finlandais, *Taloussanomat*, a aussi rapidement adopté cette stratégie.

Enfin, la fragilisation des ressources publicitaires, pour laquelle il est difficile de dire combien de temps elle se prolongera, si elle modifiera le comportement des annonceurs et de quelle manière (en termes de tarification, de mesure d'efficacité, d'arbitrage entre supports et modes de communication publicitaire, etc.), provoque un retournement dans l'analyse des responsables de sites d'information quant à la question de la gratuité. Durant le printemps et l'été 2009, un consensus apparaît concernant la nécessité de faire payer l'utilisateur. Pour certains, ce paiement consiste en une rémunération directe (abonnements, micropaiement) ou indirecte (*crowdfunding*) ; pour d'autres, ce paiement interviendrait sur des services associés (dont l'e-commerce). Dans cette phase, les fonctions marketing, visant à identifier les principales stratégies de « monétisation » des sites d'information et de leurs contenus deviennent cruciales. Ceci intervient dans un contexte où la concurrence ne se situe pas qu'entre sites d'information, mais vis-à-vis de très nombreux autres types de sites de services, les portails eux-mêmes, sans parler des services développés par les moteurs de recherche, à commencer par l'omniprésent Google.

Mobile, tablettes, *e-paper*...

La décennie 2010 ne s'annonce pas comme une période de stabilisation, ni dans les techniques disponibles, ni dans les fonctionnalités de conception de contenu ou d'accès de celles-ci au grand public. Il faut donc s'attendre à ce que la presse en ligne connaisse de nouvelles évolutions substantielles, alors qu'elle n'a pas trouvé son modèle économique, ni stabilisé ses contenus éditoriaux. Peut-être les nouveaux matériels et services offriront-ils des opportunités de rémunération de l'information et de modèles économiques plus confortables. Tel est en tout cas l'espoir de nombreux éditeurs de presse en ligne à propos du mobile. Il s'agit là de supports dont les utilisateurs sont habitués à payer des contenus, avec des modes de tarification diversifiés, dont les recettes sont perçues par des opérateurs à même de reverser les sommes correspondant à la rémunération d'informations, comme de services. En outre, pour le mobile, les caractéristiques matérielles des appareils auxquels accède le public évoluent substantiellement, avec des écrans agrandis, un affichage enrichi, des claviers facilitant la rédaction, etc. Les contenus, quant à eux, associent complètement textes, images et sons dans des standards de qualité en constante amélioration. Là où la presse en ligne européenne fait ses premiers pas autour de 2010, les presses asiatiques, coréenne ou japonaise sont déjà engagées depuis le milieu de la première décennie 2000, les quotidiens *Asahi Shimbun*, *Yomiuri Shimbun*, *Nihon Keizai Shimbun* proposant information et services (notamment financiers dans le cas du dernier).

Cependant, la notion de mobile ne se limite pas forcément au téléphone portable. Il peut s'agir également d'un support plat, flexible et plus grand, selon la formule de l'*e-paper*, qu'a pu tester parmi d'autres quotidiens *Les Échos* en 2007 et 2008. Celui-ci, permettant de recharger le contenu du quotidien imprimé, pourrait également accueillir les contenus des sites d'information. La même question se pose pour les évolutions possibles des liseuses, dont la version Kindle d'Amazon est commercialisée en Amérique du Nord depuis 2008 et accueille déjà les contenus de différents sites de la presse en ligne. Plus généralement, certains éditeurs parlent de l'hypothèse que représenterait le « troisième écran », la « tablette », plus confortable que le téléphone mobile, commercialisé par des opérateurs de services ou des industriels (Apple et l'iPad) proposant des formules d'abonnement ou de paiement contenu par contenu. L'incertitude est cependant très grande, tant les situations sont mouvantes, comme permet de le voir la rapidité de la diffusion des *smartphones* et autres iPhone aux formats et performances renforcées. La mobilité n'est cependant pas la seule grande évolution attendue des toutes premières années de la décennie 2010. Ainsi en est-il par exemple de la « réalité augmentée » déjà disponible sur les mobiles japonais. Faut-il aller jusqu'à pronostiquer l'arrivée d'un Web 3.0 qui associerait ces fonctionnalités de mobilité, de réalité augmentée, de personnalisation et sans doute d'autres encore, constituant autant d'opportunités et de nouveaux défis pour les évolutions probables de la presse en ligne ?

II / Le cadre juridique de la presse en ligne

S'agissant d'un média en devenir, le droit de la presse en ligne se construit brique après brique à partir des dispositifs existants. Il s'ajuste par petites touches, le législateur étant souvent obligé de revenir sur une disposition, de préciser certaines notions, de distinguer et prendre en compte des situations ou des intervenants jusqu'alors inconnus (fournisseurs d'accès, agrégateurs, etc.). Le cadre juridique qui s'applique à la presse en ligne, en France, est d'abord celui des textes relatifs à la liberté de l'information. Cependant, le caractère totalement international du support Internet introduit une spécificité tenant au fait que des éditeurs, des moteurs de recherche, des portails, etc. installés hors des frontières du pays concerné peuvent échapper à l'existence d'un droit national. Il s'agit là d'une contrainte particulière pour le législateur incité à tenir compte des principales réglementations en vigueur afin d'éviter, voire de susciter un phénomène de délocalisation vers des « paradis numériques » [Derieux, 2008], à commencer par les États-Unis, où a cours le « Premier amendement ». Cette même contrainte conduit à la recherche d'accords avec les principaux pays, notamment européens et nord-américains, dans l'optique de la signature de conventions internationales fondées sur des principes communs. Une autre particularité pour le législateur tient au fait que la presse en ligne fait cohabiter sur ses sites des contenus éditoriaux produits par elle-même ou d'autres acteurs professionnels (agences) avec des contenus émanant d'« amateurs », les internautes. Les règles relatives à la responsabilité de l'éditeur en sont dès lors affectées. Cette cohabitation entre des contenus d'information dont la production relève de pratiques professionnelles et d'autres émanant de démarches amateurs oblige également à revoir les textes concernant les statuts d'éditeur, comme ceux relatifs au journaliste professionnel. Enfin, les notions de synergie rédactionnelle, de « bimédia », de vente de contenus à des tiers (tels que des portails) imposent de préciser les conditions d'application des textes sur le droit d'auteur des journalistes, dans un univers dominé par le *copyright*.

Liberté de l'information

La loi du 29 juillet 1881 définit le cadre juridique dans lequel s'inscrit la presse en ligne. La loi relative à la « liberté de la presse » comporte trois volets complémentaires : le principe de la liberté, la nature de la responsabilité, le type de procédure s'appliquant en cas de délit. Les articles sur le principe de liberté ne posent pas de problèmes de transposition. Les sites de presse en ligne relèvent du régime de simple déclaration. Les choses se compliquent en revanche à propos du volet « responsabilité », sachant que le « directeur de la publication » n'est matériellement pas en mesure de contrôler des contenus et encore moins de pouvoir en répondre alors qu'ils sont apportés par les internautes (commentaires, propos tenus sur des forums ou lors de *chats*, textes, photos ou vidéos proposés sur des plates-formes de blogs, etc.). Il n'est pas non plus possible de mettre en œuvre le principe de responsabilité « en cascade » prévu par la loi, qui, en cas de non-possibilité de poursuivre le directeur d'une publication, conduit à se tourner vers l'imprimeur, voire le diffuseur ou le vendeur, même si le législateur a pu un temps envisager de se tourner vers les hébergeurs ou les fournisseurs d'accès.

Le principe de liberté très général affirmé par la loi de 1881 ne va pas sans qu'intervienne la question des abus de celui-ci — et de leur répression — lorsqu'ils contreviennent à d'autres droits individuels et collectifs. Dès l'origine de la loi, la diffamation et l'injure ont fait l'objet de son article 29. Par la suite, d'autres dispositions sont venues s'y ajouter, relatives à la protection de la vie privée, la protection de la jeunesse, l'information sur les crimes et délits, le secret de l'enquête et de l'instruction, le respect de la présomption d'innocence, etc. [Derieux, 2008]. L'ensemble de ces dispositions s'appliquent de plein droit aux sites de presse en ligne. Cependant, l'article 29, avec les questions de diffamation, se trouve particulièrement mis en lumière de par les caractéristiques du média. La diffamation comme l'injure s'appliquent à des propos publiés (« criminalité d'expression ») qui ont porté atteinte « à l'honneur et à la considération » d'une personne, d'un groupe ou d'une institution. Pour la diffamation, cette atteinte est constituée de l'« allégation d'un fait ». Dans le cas de l'injure, c'est le caractère outrageant d'une expression, des termes de mépris ou invectives qui constituent cette atteinte, sans qu'aucun fait vienne l'étayer. Qu'il s'agisse de diffamation ou d'injure, plusieurs questions se posent à propos des sites d'information : les propos incriminés émanant des contributions des internautes engagent-ils la responsabilité de l'éditeur, de l'hébergeur, du fournisseur d'accès ? Comment constater cette infraction pour un support dont les contenus sont éphémères ou peuvent être aisément corrigés ? Comment identifier l'auteur réel d'une infraction lorsqu'un internaute utilise un pseudonyme ? Les réponses à ces questions se trouvent progressivement traitées à mesure que la législation précise le statut de chaque intervenant et le régime de responsabilité qui le concerne.

La première réponse dont dispose une personne, une institution, un groupe qui se juge diffamé est le droit de réponse. En matière de presse écrite, celui-ci doit intervenir au même emplacement, dans les mêmes caractères et dans un délai raisonnable. L'article 6.IV de la loi du 21 juin 2004 reconnaît la possibilité d'exercer ce droit de réponse contre les éditeurs de sites professionnels en adressant au directeur de publication une notification de contenu illicite (description du fait litigieux, localisation exacte, etc.). Dans le cas où celui-ci ne réagit pas, cette notification est adressée à l'hébergeur qui doit prendre les dispositions nécessaires, dans un délai court. Dans les cas de poursuites, des dispositions équivalentes à celles relatives à la presse écrite s'appliquent aux sites de presse en ligne, soit un délai de prescription, court, de trois mois. Dans le cas d'un contenu publié sur un site d'information, le délai de prescription est à compter à partir de la date de sa mise en ligne et non du constat ou de la dernière mise à jour. Pour les contenus anonymes ou le recours à des pseudonymes par les internautes intervenant dans des commentaires, forums, etc., le plaignant doit faire appel au juge qui saisit la plainte et peut engager une enquête de police à partir de l'adresse IP que doit conserver l'hébergeur durant un an (directive européenne, 15 mars 2006). Les coordonnées de l'abonné correspondant à cette adresse IP doivent être communiquées par le fournisseur d'accès. Les policiers doivent s'assurer sur place de l'identification de l'auteur de l'infraction. Ils interviennent au domicile de l'abonné de l'adresse IP utilisée par l'auteur des faits et vérifient si celle-ci n'a pas été empruntée de manière malveillante (piratage).

Statut de l'entreprise de presse en ligne

Le statut de l'entreprise de presse en ligne se trouve progressivement défini par les lois du 21 juin 2004 (dite « pour la confiance dans l'économie numérique »), puis du 12 juin 2009 (« pour la diffusion et la protection de la création sur Internet », dite « loi Hadopi »). La loi du 21 juin 2004 définit d'abord, dans son article 1.IV, la « communication au public par voie électronique » qui regroupe aussi bien l'audiovisuel que la communication au public en ligne, celle-ci ayant pour caractéristique de comprendre à la fois la transmission de données numériques et les échanges réciproques d'information entre émetteur et récepteur. La loi précise ainsi le rôle et les règles s'appliquant à différentes catégories d'« entreprises de communication au public en ligne », soit les « fournisseurs d'accès » (article 6.I.1), les « fournisseurs d'hébergement » (article 6.I.2) et les « éditeurs de service ». C'est la loi du 12 juin 2009 qui, dans son article 27, fournit un statut juridique particulier aux « éditeurs de presse en ligne ». Elle répond en cela à l'une des recommandations du Livre vert des « États généraux de la presse » [2009].

L'éditeur de presse en ligne est une entité dont l'activité est de produire (« élaborer » et « déterminer ») du contenu. Il se distingue de l'éditeur de service, défini par la loi du 21 juin 2004, par le fait qu'il propose un contenu d'information d'actualité, « original ». Il peut être rattaché à un média ou avoir été créé spécifiquement sur Internet (*pure-players*). Le contenu proposé doit être édité à titre professionnel. Il faut entendre par là que son contenu découle d'un traitement journalistique fait de la recherche de l'information, de sa vérification et de sa mise en forme. Lorsqu'il s'agit d'information politique et générale, l'éditeur de presse en ligne doit employer au moins un journaliste professionnel. Ce contenu est obligatoirement renouvelé périodiquement et daté. L'édition de presse en ligne doit être l'activité centrale. Il ne peut s'agir d'une démarche motivée par la promotion, ou accessoire vis-à-vis d'activités industrielles ou commerciales. Reprenant en cela les dispositions de la loi du 21 juin 2004 concernant l'éditeur de service, une obligation de transparence s'impose. Ces dispositions ne sont d'ailleurs que la transposition des dispositions relatives à la presse concernant le directeur de la publication qui doit être le propriétaire ou le président du conseil d'administration de l'entreprise concernée [Bellanger, 1975]. Le public doit avoir accès au nom, à l'adresse, au numéro de téléphone, etc. et surtout au nom du directeur de la publication, ainsi qu'à celui du fournisseur d'hébergement. La loi du 1er août 2006 prévoit également le dépôt légal. Un décret du 30 octobre 2009 précise les conditions dans lesquelles la Commission des publications de presse et agences de presse (CPPAP) reçoit la déclaration des éditeurs de presse en ligne.

La reconnaissance du statut d'éditeur de presse en ligne permet aux entreprises comme aux journalistes de bénéficier des dispositions d'aide de l'État figurant parmi les aides à la presse. Pour les éditeurs, il s'agit de l'exonération de la taxe professionnelle, de la possibilité de provisionner des bénéfices à des fins d'investissement (article 39 *bis* du code des impôts), ainsi que de l'accès au « Fonds d'aide aux services en ligne », rebaptisé « Fonds d'aide au développement des services de presse en ligne » (Spel). En revanche, l'espérance de pouvoir bénéficier du taux de TVA de 2,1 % est aujourd'hui suspendue à des réglementations européennes qui maintiennent le taux normal pour tous les services en ligne. En 2010, les éditeurs de presse en ligne français se voient attribuer pour la première fois, à ce titre, quelque 20 millions d'euros d'aides au travers du « Fonds Spel ». Les *pure-players* Rue89, Mediapart et Slate bénéficient respectivement de 249 000, 200 000 et 199 000 euros. Pour les journalistes, c'est l'obtention ou le renouvellement de la carte de presse et les avantages de frais professionnels forfaitaires qui, depuis 1997, remplacent l'abattement fiscal de 30 % dont bénéficiait la profession.

Responsabilité du directeur de la publication

Comme dans toute forme de presse, le directeur d'une publication en ligne est considéré, au terme de la loi de 1881, comme l'auteur principal des éventuelles infractions concernant les contenus produits par le site d'information. La spécificité de la presse en ligne découle de la question particulière des contenus produits par les internautes (commentaires, propos tenus dans des forums ou *chats*, voire dans des blogs hébergés). Peut-on en tenir pour pénalement responsable le directeur de la publication tant qu'il n'en a pas eu connaissance et que doit-il faire lorsqu'il en est informé ? Sur ces deux points, le législateur a hésité un temps avant d'arrêter un principe de responsabilité dite « atténuée » dans le cadre de l'article 27.II de la loi du 12 juin 2009. Dans les termes de celui-ci, le directeur de la publication se voit exempté de responsabilité pénale tant qu'il n'a pas connaissance des propos en infraction tenus par un internaute. Il lui revient en revanche d'agir promptement en supprimant ceux-ci dès qu'il en a connaissance.

La notion de responsabilité atténuée était demandée avec force par les éditeurs de presse en ligne [États généraux de la presse écrite, 2009], principalement pour ce qui concerne la diffamation. Il leur paraissait, dans les faits, impossible d'exercer une activité de surveillance et de contrôle *a priori* sans entraver la dynamique et la vivacité des services dits contributifs relevant, selon eux, de « la participation à l'intérêt général ». Le législateur accède donc à leur demande sans qu'il soit facile d'apprécier les conditions de son application par les tribunaux sur le point de savoir quand et dans quelles conditions il peut être établi que le directeur de la publication est au courant d'une infraction et qu'il a agi dans des délais satisfaisants pour y mettre fin. La loi du 21 juin 2004 avait déjà exonéré les intermédiaires techniques et prestataires (fournisseurs d'accès et fournisseurs d'hébergement) de services (agrégateurs) d'une obligation de surveillance des messages. Ils devaient cependant conserver les données permettant l'identification des éditeurs et des auteurs pour les cas litigieux [Derieux, 2008].

Dans son rapport aux journalistes de la rédaction, la responsabilité du directeur de la publication s'appuie sur la notion de « lien de subordination » qui s'impose à chaque membre d'une rédaction. L'application de ce principe fait peu problème pour les rédactions qui fonctionnent comme un collectif de salariés, soumis aux mêmes impératifs de temporalité. La presse magazine et la multiplication de pigistes et sous-traitants (agences spécialisées) rendent plus délicate et complexe sa mise en œuvre effective. L'Internet qui conduit à voir le même journaliste publier dans un site de presse en ligne et sur son propre blog indépendant, l'un et l'autre portant sa signature, tend encore un peu plus la contradiction, tout comme la tendance à vouloir développer la notion de *personal branding* (marque personnelle) dans l'univers journalistique. Il est peu probable que le législateur aille au-devant de cette question de la redéfinition du rapport individu/collectif dans la production et l'information. Il ne fait en revanche pas de doute que des litiges se multiplieront à ce propos, obligeant le juge à s'en emparer.

Professionnels et amateurs

Si la loi de 1881 ne fait pas de distinction entre les propos du professionnel et ceux de l'amateur, la loi du 12 juin 2009 réintroduit celle-ci à plusieurs niveaux. Le premier est celui de la démarche de l'éditeur d'information qui doit avoir une démarche « professionnelle » avec le souci d'en préciser quelques dimensions clés. Le second niveau est la référence à l'obligation d'employer des journalistes professionnels. Le Livre vert parle, lui, d'un « emploi régulier de journalistes professionnels [...] dans le cadre des règles sociales et déontologiques de la profession ». Le législateur est à la fois moins exigeant et plus précis puisqu'il exige « l'emploi à titre régulier d'au moins un journaliste professionnel au sens de l'article L.7111-3 du code du travail ». Il faut donc entendre par là un journaliste détenteur de la carte de presse. Dans le cadre de la législation française, cela signifie « toute personne qui a pour activité principale, régulière et rétribuée, l'exercice de sa profession dans une ou plusieurs entreprises de presse et qui en tire le principal de ses ressources », selon la définition de la loi Brachard de 1935 définissant le statut du journaliste professionnel. En même temps, cela renvoie également à la possibilité pour les entreprises de presse en ligne de faire passer des contributeurs amateurs — blogueurs par exemple —, intervenant régulièrement sur leurs sites et rémunérés pour cela, du statut d'amateur à celui de professionnel, sans considération de formation, diplôme, engagements pris en matière d'éthique... tant que la convention collective des journalistes ne se verra pas annexer une quelconque charte déontologique [États généraux de la presse écrite, 2009].

Par ce texte sur le statut de l'éditeur de presse en ligne, le législateur intervient dans un débat qui n'a fait que se renforcer avec l'apparition du Web 2.0 concernant la multiplication de producteurs d'information amateurs et la création de sites d'information contributifs [Légicom, 2008]. Il indique la frontière qui sépare le journaliste professionnel du journaliste amateur, souvent requalifié de « journaliste citoyen », l'existence ou non d'un employeur qui soit un éditeur professionnel. Il exclut notamment du champ des éditeurs de presse en ligne l'« autoéditeur » non détenteur de la carte de presse, producteur d'un blog d'information, quels que soient la qualité des contenus produits par celui-ci et les revenus qu'il peut en tirer [Rebillard, 2009].

Droits d'auteur

Le développement des publications numériques des contenus de la presse écrite a posé la question des conditions de l'application du droit d'auteur des journalistes. Emmanuel Derieux rappelle que, jusqu'à l'apparition d'une véritable presse en ligne, les occasions de publications secondaires d'articles sont assez rares et ne posent guère de difficultés, qu'il s'agisse de l'obtention de l'agrément du journaliste-auteur (au nom du droit moral) ou encore des conditions concrètes de reproduction et de rémunération (au nom du droit patrimonial). Tout change à partir du moment où, jour après jour, les rédacteurs en chef des sites de presse en ligne décident de reprendre les articles imprimés, voire les publient simultanément sur plusieurs supports, lorsqu'ils ne sont pas diffusés d'abord sur un support numérique. Le problème ne concerne pas les pays de *copyright* (États-Unis, Royaume-Uni, Australie, etc.) où les droits reviennent totalement aux éditeurs en matière de production journalistique. Il en va tout autrement dans des pays comme la France dans lesquels la législation reconnaît le droit d'auteur du journaliste, conjointement à son statut de salarié. Rares sont les initiatives précoces de recherche d'accords collectifs. Le premier remonte à 1995 et concerne Lemonde. De fait, les premières difficultés se présentent très tôt, voyant s'affronter journalistes et éditeurs, y compris devant les tribunaux. En février 1998, une ordonnance de référé condamne les *Dernières Nouvelles d'Alsace* et FR3, confirmant les droits d'auteurs des journalistes. Suivent d'autres procès concernant *Le Figaro* et *Le Progrès* qui débouchent sur des décisions comparables, alors que par ailleurs plusieurs accords d'entreprise voient le jour, mais sans que la situation soit véritablement sécurisée juridiquement.

De commission en mission, groupes de travail informels ou encore « pôles » des « États généraux de la presse », réunissant organisations d'éditeurs et syndicats de journalistes, les termes mêmes du débat évoluent progressivement. La notion de support laisse la place à celle de publication et de temporalité. L'approche en termes de droit individuel attaché à la personne de chaque journaliste-auteur s'estompe au profit du principe d'accords collectifs s'imposant à chacun. L'idée selon laquelle l'autorisation préalable du journaliste pour une « exploitation secondaire » de l'œuvre n'est plus praticable l'emporte s'agissant des différents supports et modes de diffusion d'un même « titre de presse » ou publication. En revanche, la notion de temporalité se fait jour, selon la périodicité du titre : au terme d'une certaine durée, l'exploitation d'un texte donne lieu à rémunération sous forme de droit d'auteur ou de salaire. Au-delà de ces principes généraux, substantiels, bien des points restent à préciser, qu'il s'agisse de la définition des délais en question ou des modes de rémunération.

La loi du 12 juin 2009, dans son article 20 concernant le « droit d'exploitation des œuvres des journalistes », reprend une telle architecture tout en lui donnant une formulation beaucoup plus favorable aux éditeurs de groupes de médias. C'est ainsi qu'elle étend la possibilité d'exploitation « primaire » des articles sans rémunération à d'autres titres d'un même groupe pour peu qu'ils appartiennent à la même « famille cohérente de presse ». Elle élargit même cette exploitation à un tiers (portails, etc.), pour peu que la responsabilité du directeur de la publication, dont est issu le contenu, puisse toujours s'exercer. Elle fixe par ailleurs un délai de six mois pour que soient trouvés des accords collectifs d'entreprise, de branche, etc. au-delà desquels pourrait être saisie une « commission » paritaire, dirigée par un représentant de l'État, créée par la loi, chargée de fixer la rémunération des droits d'auteur et le mode de cette rémunération (individuel ou mutualisé à l'ensemble de la rédaction). Le texte est loin d'avoir apaisé les différends et chacun des partenaires semble prêt à relancer actions et pressions, y compris en recherchant des conditions plus favorables dans une législation ultérieure, notamment européenne. La fragilité du modèle économique de la presse en ligne paraît renforcer encore la détermination des éditeurs. Aux yeux d'Emmanuel Derieux, de telles dispositions « faisant prévaloir les nécessités économiques de l'entreprise » conduisent à « contaminer » la conception européenne du droit d'auteur « par le virus du *copyright* ».

III / Les principales formes de presse en ligne

Il peut paraître difficile face à une réalité aussi foisonnante et évolutive de dresser un panorama des principales formes de presse en ligne [Tessier, 2007]. Il est encore plus délicat d'entreprendre une comparaison internationale dans ce domaine, tant se combinent ici traditions éditoriales et histoire d'entreprises dans leur approche des médias numériques. Sans doute ne faut-il pas prétendre à l'exhaustivité. En revanche, il est possible d'identifier un certain nombre de formes suffisamment répandues, qui présentent une réelle cohérence au niveau de la presse éditée en France. Celles-ci peuvent être décalées au regard du paysage du Web de nos voisins européens ou de continents plus avancés tels que l'Amérique du Nord ou une partie de l'Asie. En même temps, les influences et les emprunts sont nombreux. Il n'est pas toujours possible d'observer que, au sein d'une forme de presse en ligne, une forte unité prévaut. Au contraire, chacune d'entre elles est traversée par des mouvements d'autant plus rapides et incessants que personne n'a trouvé un modèle éditorial abouti. Chacun se situe nécessairement dans une démarche de recherche, d'innovation et de création, pris dans une tension entre la prégnance du média d'origine et la définition de formes éditoriales véritablement originales.

Les sites d'actualité généralistes

Les sites d'actualité généralistes proposent une information « chaude », forts d'une capacité à livrer les nouvelles dans des délais très courts, parfois quasi instantanés. Ils traitent simultanément un large éventail de domaines. Les sites d'actualité généralistes émanent de médias existants (presse écrite, radio, télévision) dont ils constituent la forme de diversification sur support numérique. Les sites émanant des médias audiovisuels, du moins en France, ont longtemps hésité sur la nature des contenus à proposer. Bien que parfois très proches des sites issus de la presse écrite, ils conservent une spécificité. La grande majorité des sites d'actualité généralistes sont issus, en France comme chez nombre de nos voisins européens, de titres de presse écrite, quotidiens et hebdomadaires. Aux États-Unis et en Grande-Bretagne [Tessier, 2007], les sites rattachés aux télévisions occupent souvent les premières places, à l'image de MSNBC, CNN, FoxNews, BBC ou SkyTV.

Les sites français d'actualité généralistes développés par les entreprises de presse écrite — Lemonde, Liberation, Lefigaro, 20minutes, Nouvelobs, Lexpress, etc. — constituent la part la plus substantielle de l'offre de contenu de la presse en ligne. Parmi eux figurent des sites pionniers, de la première heure, pour la France, tel Lemonde ou Liberation créés dès 1995. Ces sites d'actualité généralistes réalisent les plus fortes audiences en matière d'information sur Internet. Les forces et les faiblesses des nouvelles qu'ils mettent en ligne à longueur de journée participent largement à l'image et à la crédibilité du média Internet en tant que support d'information. Il s'agit d'une information rafraîchie, en permanence, tout au long de la journée, le plus souvent dix-huit heures sur vingt-quatre, que ce soit au gré d'éditions successives ou en continu, au fur et à mesure que les événements et sujets surviennent. Ils réunissent le noyau de base des nouvelles à un moment donné telles qu'on va les retrouver simultanément sur les radios et les télévisions d'information en continu.

Le propre des sites d'actualité généralistes est d'offrir une information diversifiée, tant du point de vue des thèmes ou domaines abordés que des modes de traitement, du flash factuel et brut au dossier, en passant par les blogs, etc. Cette diversité transparaît dans la page d'accueil, que d'aucuns qualifient également de « une ». Textes, images fixes ou vidéos, sons, titres aux caractères et couleurs différents, etc. défilent sur l'écran au fur et à mesure que se déroule celle-ci. Un, voire plusieurs bandeaux menus constitués de mots clés permettent d'entrer directement dans les principaux domaines couverts, alors que sur plusieurs colonnes se succèdent, à gauche, les titres, chapeaux, résumés d'articles, photos des différents sujets choisis, traités, voire développés par le site. La colonne centrale est constituée d'entrées sur des formes particulières de traitement de l'information telles que l'information chaude et brute issue des dépêches d'agences, des annonces de blogs ou d'éditoriaux, des entrées dans des diaporamas, etc. La colonne la plus à droite est souvent réservée à des services offerts, y compris la une du titre imprimé en PDF, etc.

Les modes de traitement de l'information sont également d'une grande diversité, se juxtaposant au sein d'un même site d'information. En premier lieu figure l'information factuelle, chaude, brute, issue directement de la dépêche d'agence, renouvelée en permanence. Elle peut être annoncée par un simple titre, dans un minisommaire présenté chronologiquement, la dernière nouvelle figurant en haut de liste. La même dépêche peut se trouver reprise, retravaillée sommairement, illustrée, dotée de liens et insérée dans les articles annoncés en colonne de gauche. La rédaction peut faire le choix d'un enrichissement plus substantiel du même sujet pour produire un article propre, qu'il soit nourri de recherche documentaire ou sur le Web, de la synthèse des traitements des principaux médias, d'interviews, etc. L'apport du site d'information peut tenir à la forme, l'illustration ou le recours au son ou à la vidéo. Au fur et à mesure que le temps passe, un article peut être actualisé et complété par les commentaires des internautes et les éventuelles réponses de la rédaction à certains de ceux-ci. Un sujet qui est immédiatement perçu comme méritant un traitement particulier ou qui fait l'objet de développements importants dans l'actualité, voire recueille une attention particulière des internautes, peut faire l'objet d'un véritable dossier, à la durée de vie plus importante, restant disponible dans un secteur du site. Le même sujet peut être repris, développé, commenté dans des éditoriaux ou des blogs de journalistes, éventuellement d'experts ou d'internautes. Il peut aussi conduire à l'invitation d'un acteur ou d'un spécialiste du domaine concerné pour participer à un plateau vidéo, tel que le *talk* sur Lefigaro ou un *chat*. Enfin, dans des forums, des questions peuvent être proposées aux internautes, à son sujet. C'est dire que la particularité des sites d'actualité généralistes est de croiser la diversité des informations traitées, avec un grand nombre d'entrées, de modes de traitement, de formes d'écriture et d'implication du public lui-même. Insister sur cette diversité n'est pas sans interroger sur le paradoxe de la très forte homogénéité ou redondance des contenus entre les différents sites, dans laquelle la question du référencement par les agrégateurs joue un rôle crucial.

Les sites issus des radios et télévisions apparaissent plus hésitants dans leur approche éditoriale. La place donnée à l'information au regard des programmes peut fortement varier. Au sein même des espaces consacrés à l'information, la place à donner au média d'origine et à son mode de récit fait question. Il est d'abord possible de donner un accès en direct, *streaming* et podcast/VOD aux principales plages d'information, aux journaux du matin, en radio, au 13 heures et au 20 heures des télévisions. Au-delà, les sujets réalisés par la rédaction audio ou visuelle occupent une place plus ou moins importante dans le suivi de l'actualité par le site. Rtl.fr est le site qui a adopté le parti pris le plus fort d'utilisation systématique des sons produits par la rédaction à longueur de journée pour nourrir ses différents flashs. Les sujets retenus par la rédaction Web sont repris, titrés, introduits par de simples chapeaux et illustrés de photos. À l'inverse, Europe1 ou France2 ne réutilisent que peu de contenus images/sons issus de la rédaction de la maison mère. TF1 se situe dans une position intermédiaire, profitant de l'alimentation en continu de sujets issus de LCI. Radio France, quant à elle, a confié à France Info le soin de fournir l'information sur le Web.

Lorsque les sites des radios et télévisions optent pour une production en contenu texte et photo, ceux-ci sont dans des formats courts, centrés sur l'actualité chaude, sobrement illustrés. Les sujets proposés sont peu nombreux, représentant les événements les plus significatifs à un moment donné. Les articles ne sont pas signés, hormis pour Franceinfo. En revanche, les principales « signatures » des stations et des chaînes, tout comme les correspondances à l'étranger, sont présentes au travers de blogs. Il s'agit généralement de textes avec une mise en forme minimaliste. Les chaines du service public ont fait le choix d'offrir un espace clairement identifiable à leurs médiateurs. Dans l'ensemble, les sites des radios et télévisions accordent cependant peu de place au participatif.

Les sites d'actualité locaux

Il existe aujourd'hui une grande variété de sites de presse locaux, entre ceux des différents quotidiens régionaux et départementaux, ceux de la presse hebdomadaire locale, les sites d'information spécialisés liés à une publication dans une agglomération, un département, une région, ainsi que divers *pure-players*. La place privilégiée que jouent les quotidiens conduit ici à s'intéresser plus particulièrement à leurs sites. C'est peu dire que domine chez ceux-ci une grande diversité dans les modes de présentation, les structures de la page d'accueil, l'architecture générale, l'écriture même. Loin d'être stabilisés, ils évoluent rapidement au fil des mois comme si certains s'employaient à rattraper le retard à sortir d'une formule sommaire de simple vitrine, dite « site compagnon ». Au-delà de la pluralité des démarches, plusieurs traits communs s'affirment, au premier rang desquels figure la proposition d'une sélection d'informations de proximité directement accessibles dès la page d'accueil moyennant un clic sur celle-ci ou l'inscription du nom de la commune dans la première recherche. L'essentiel de ces informations de proximité sont communes à la version papier et Web, simplement retitrées et illustrées dans la plupart des cas.

Pour nombre de titres, un fait important peut être intégré plus rapidement dans les parties locales, voire en page d'accueil.

Le second trait commun tient à la diversité et la densité des entrées proposées sur la plupart des pages d'accueil des sites d'actualité locaux. Ceux-ci entendent proposer une sélection des dernières nouvelles nationales et internationales. Ils y ajoutent une dimension régionale qui peut donner la tonalité dominante de l'entrée sur le site. Outre l'actualité locale figurent également les informations pratiques, la vie quotidienne, les loisirs, la culture, le divertissement. Au-delà de ces dimensions qui peuvent apparaître comme une simple adaptation au Web de contenus proposés dans l'imprimé, une ouverture sur le participatif s'affirme. Letelegramme et Midilibre, par exemple, ouvrent aux non-journalistes des espaces de blogs. Nombreux sont ceux qui, chaque jour, y compris à l'échelle départementale ou locale, proposent des thèmes de discussion, sans compter les très nombreux questionnaires sur des sujets de vie pratique, d'aménagement, de réaction à des questions de société. La tendance est à proposer pour chaque article une invitation au commentaire, même si ces fonctions sont souvent sous-investies par les internautes.

Les sites d'actualité spécialisés

Les sites d'actualité spécialisés recouvrent, comme pour la presse quotidienne, les domaines de l'économie et du sport. Ils sont en revanche plus nombreux et diversifiés, puisque cohabitent sur le Web des sites issus de la presse imprimée, des *pure-players* rattachés à des groupes de presse tel E24 ou Sport24, ainsi que des *pure-players* indépendants. Au-delà du partage d'une approche d'information chaude en se concentrant avec plus ou moins d'étanchéité sur un domaine de l'information, la presse en ligne spécialisée dans l'économie et celle qui se consacre au sport n'ont pas beaucoup de points communs, ni dans la présentation, ni dans la manière de traiter des nouvelles. De ce point de vue, les différences qui existent dans l'imprimé se retrouvent largement sur les supports numériques.

Dans leurs traits dominants, les sites d'actualité économique ont une forte parenté dans la conception éditoriale et la forme avec les sites d'actualité généraliste s'adressant à un public haut de gamme. La présentation est plutôt sobre, particulièrement pour Lesechos où les caractères choisis pour les titres, le faible nombre d'illustrations et les graphiques sont dans une dominante d'élégance discrète. La variété des contenus et des rubriques proposés est importante, allant de l'information immédiate traitée à partir de dépêches jusqu'à des textes d'analyse et des dossiers de plus en plus souvent issus de la rédaction imprimée, lorsqu'il s'agit de sites adossés à des publications imprimées. Les *pure-players* qui se rapprochent des sites d'analyse et d'enquête dans leur conception éditoriale et leur présentation recourent à des réseaux de journalistes spécialisés et d'analystes reconnus. La dimension participative n'est pas absente, bien qu'à des degrés divers. La forme la plus répandue est l'ouverture d'espaces à des spécialistes non journalistes : ce seront des blogs pour Lesechos, des opinions pour Latribune. Certains pratiquent les forums, plus rarement les *chats*. Enfin, l'invitation aux commentaires semble peu suivie d'effet, hormis le cas d'Eco89.

Les sites de sport sont dans l'ensemble très colorés, très illustrés, associant photo et vidéo. La proximité avec les sites d'actualité plus populaires est explicite, que ceux-ci soient rattachés à des médias imprimés ou audiovisuels. La présentation des *home page* est dense, presque saturée de textes, de tableaux et d'images. Les entrées sont multiples, permettant l'accès par chacune des grandes disciplines sportives, ou privilégiant les résultats et commentaires des principaux championnats, les performances et les historiques (avec recours aux archives), etc. De la même manière que dans les médias traditionnels, les experts, souvent d'anciens sportifs, collaborent avec les journalistes sur le Web : ceux-ci sont présentés dans certains espaces sur le même plan que les journalistes. La dimension participative prend la forme de nombreux commentaires, de forums, voire de blogs mélangeant journalistes spécialisés, sportifs de renoms et amateurs éclairés (Sport24). Le site de Lequipe offre un accès à Sportvox, dont il est partenaire aux côtés d'Agoravox. Sportvox est une plate-forme participative consacrée au sport dont le fonctionnement et la démarche éditoriale sont identiques à ceux d'Agoravox. Il faut également prendre en compte les différentes passerelles qui peuvent exister entre l'information, la distraction, le jeu et le commerce sur les sites d'information sportive. Sport24 propose, par exemple, des paris, dont la place est appelée à se développer substantiellement tant en matière de contenu que sur le plan du modèle économique du site, à la faveur de l'évolution de la législation.

Les sites d'enquête et d'analyse

L'information proposée par les sites d'enquête et d'analyse est décalée du flot des nouvelles. Elle n'est pas sans lien avec l'actualité. Elle interfère parfois avec celle-ci en y introduisant des éléments nouveaux ou en la prolongeant : révélations de faits non encore connus, propositions d'angles inusités, etc. L'internaute n'est pas laissé sans repère quant au déroulement des événements, présentés à l'écran, dans un emplacement secondaire. L'histoire de la diversification des médias d'information dans la presse en ligne, combinée aux stratégies retenues, dans le cas des *news magazines*, devait conduire à ce que cet espace soit occupé principalement par des *pure-players*, à l'initiative de journalistes. D'une certaine manière, ce décalage dans le rythme, une plus grande liberté dans le mode et les angles de traitement, ainsi que la notion de choix assumés par la rédaction, confèrent aux sites d'enquête et d'analyse l'équivalent du rôle que joue le périodique d'actualité vis-à-vis du quotidien pour la presse imprimée.

La conception de l'enquête, du développement de dossiers, du rapport à l'expertise et de l'analyse, qui prévaut d'un site à l'autre, est loin d'être identique entre Mediapart, Rue89 ou Owni. Les modes de présentation sont également assez différents, au moins dans la forme, avec des structures de page d'accueil qui ont peu de parenté. En revanche, ils ont en commun une grande souplesse quant à la longueur, au style, à l'écriture de chaque papier. Un article peut être un important développement écrit, avec différentes sous-parties. Photographies, graphiques, vidéos peuvent être omniprésents et constituer un élément d'appui de la révélation ou de l'argumentation. Il peut s'agir d'un ensemble d'éléments visuels ou sonores dans lequel le texte ne joue qu'un rôle de lien ou de fil conducteur. Chaque « papier » est signé alors que les auteurs, journalistes de la rédaction, pigistes, contributeurs extérieurs sont valorisés et présentés (parfois avec une photographie) par des éléments de biographie. Les articles proposés quotidiennement sont moins nombreux que dans un site d'actualité. Ils sont maintenus plusieurs jours.

Les sites d'enquête et d'analyse se sont immédiatement inscrits dans une démarche participative dans laquelle les commentaires sont valorisés et traités directement par les journalistes concernés. Les internautes ont généralement la possibilité de s'identifier, se voyant proposer une charte de contributeur. La tendance est à leur proposer un éventail de modes d'association à la vie et à l'animation du site : le « club » de Mediapart, les « briques », blogs, etc. de Rue89... Cette dimension participative se veut constitutive de l'identité éditoriale de chaque site, sachant que ceux-ci, plus que toute autre forme de presse en ligne, s'attachent à exprimer une forte différenciation éditoriale. Une identité qui s'imposerait immédiatement dès l'accès au site. Cette identité n'est pas que de forme ou de manière d'opérer des choix dans les sujets, elle est également faite de ton, parfois moins distancié, plus polémique, humoristique, voire esthétique et poétique selon les thèmes traités.

Les sites de magazines

Les sites rattachés aux magazines représentent un univers d'offre d'information, spécifique, extrêmement divers, entretenant une relation très fluctuante avec les versions imprimées. La spécificité tient avant tout à la spécialisation des domaines traités (programme et univers de la télévision, féminin, *people*, découverte, vulgarisation scientifique, ainsi qu'une multiplicité de pôles d'intérêt). Elle tient également à un décrochage de l'actualité. Cela ne signifie pas qu'ils ne proposent pas de nouvelles récentes, de façon parfois quasiment instantanée, mais leur vocation n'est pas de suivre le fil de l'actualité, sa chronologie, sa hiérarchie. Au-delà, il est bien difficile d'entreprendre une typologie des offres de contenus des sites d'information magazine. Dans une même famille et à l'intérieur d'un même groupe peuvent cohabiter et coopérer des démarches et approches *a priori* extrêmement éloignées, à l'image d'un titre comme *Psychologie*, qui se trouve largement appuyé à un ancien *pure-player*, Doctissimo, alors que le même groupe développe selon une autre logique son Elle.fr. C'est que les éditeurs de magazines qui avaient pris un sérieux retard dans le développement de leurs sites ont pu avoir recours à des achats de *pure-players* auxquels ils ont confié le soin de repenser, mettre en œuvre et animer les sites de leurs titres. En revanche, les rédactions des versions imprimées sont souvent peu impliquées dans les contenus Web, surtout lorsqu'il s'agit des équipes légères de mensuels.

Dans leur forme, leur présentation, leur esthétique, les sites de magazines recherchent la cohérence avec les titres imprimés auxquels ils sont articulés. Les sites des féminins, haut de gamme ou moyenne gamme, en fournissent une bonne illustration. Les caractéristiques de leurs contenus peuvent être, en revanche, plus éloignées ou dans des registres plus étroits, traduisant la volonté de se concentrer sur des applications correspondant au Web, en jouant principalement la complémentarité. D'une manière générale, les sites de presse magazine développent proportionnellement moins l'écriture multimédia. Non que le son ou la vidéo soient absents, mais ils occupent moins de place que dans les sites d'actualité et, lorsque ceux-ci sont présents, c'est souvent sous forme de contenus repris (bandes-annonces, émissions ou extraits d'émissions de télévision, etc.). Hormis l'exemple de *Télérama*, il y a peu de production originale de sons ou d'images vidéo. Dans l'ensemble, la place des internautes est faible, hormis quelques anciens *pure-players* tels que Doctissimo ou Aufeminin. Souvent peu de commentaires, une place très inégale donnée aux forums ou débats, presque pas de *chats*, une part globalement modeste accordée aux blogs, les non-journalistes sont des « experts » rarement simples utilisateurs actifs. Quelques sites, notamment féminins ou de hobbies, font une place à des non-journalistes de manière assez régulière, mais c'est loin d'être la dominante et d'apparaître comme aussi crucial que dans nombre de sites d'actualité. Faut-il voir là une spécificité des sites de magazines ou la manifestation d'un certain retard ? Il paraît trop tôt pour le dire, tant les stratégies ont été bousculées et finalement redéfinies à la toute fin de la décennie 2000.

IV / Les structures de la presse en ligne

Les structures de la presse en ligne peuvent paraître très proches de celles de toute forme de média d'information : rédaction, publicité, marketing et commercial, technique. La sous-traitance y prend une place significative, ce qui n'est pas d'une grande originalité au regard de la presse magazine. C'est dire que les spécificités de l'organisation des entreprises d'information sur le Web tiennent à la manière dont chaque domaine et type de métier sont amenés à coller aux particularités du Net. La chose saute aux yeux au simple contact des locaux d'une rédaction Web, l'ambiance qui y règne, l'observation des gestes professionnels de chaque journaliste. C'est en fait le même phénomène qui se produit pour la régie publicitaire, le marketing, le commercial et bien sûr la technique, même si bien souvent la presse écrite a cru pouvoir bénéficier de synergies [de Tarlé, 2006]. L'idée était au début de demander à ses commerciaux, ses informaticiens et bien sûr ses journalistes d'étendre leurs compétences sur l'imprimé au nouveau support, puisqu'il s'agissait d'écrits proposant information et services sous la même « marque ». Rapidement, cette approche s'est révélée être une impasse et chacun s'est attaché à découvrir dans chaque domaine en quoi le nouveau support exigeait des compétences propres en invention.

Rédactions et journalistes

La taille des rédactions des sites de la presse en ligne n'est pas simple à préciser, selon les formes de presse et les pays. Les histoires, les structures, les performances économiques très différentes ont des répercussions sur les sites émanant d'un média ancien comme sur les *pure-players*. Entre les 1 400 journalistes du *New York Times* et les 280 du *Monde*, les tailles des rédactions Web dédiées ne peuvent être similaires. De la même manière, le *pure-player* nord-américain Politico, s'engageant sur l'information locale dans la région de Washington, peut annoncer la création d'un site de 50 journalistes, alors qu'ils sont 25 à Mediapart. L'équipe rédactionnelle du Slate américain compte 25 journalistes à plein temps, auxquels s'ajoutent une trentaine de « contributeurs », alors que le Slate français s'appuie sur 5 permanents adossés à un réseau de pigistes. Les choses se compliquent encore lorsque les différences entre pays sont croisées avec le type de média (quotidien, magazine, radio ou télévision), le caractère national ou local, généraliste ou spécialisé de l'information. Une comparaison chiffrée des effectifs trouve une autre limite selon que le site de presse en ligne s'appuie sur une rédaction « dédiée » ou qu'il relève de l'intégration des rédactions, imprimé et Web, radio et Web, etc. C'est ce qui conduit ici à privilégier une typologie issue de la situation française, avec quelques contrepoints internationaux.

Les rédactions des sites généralistes d'actualité français engagés dans la compétition pour les places de tête de l'audience sont celles qui emploient les équipes dédiées les plus nombreuses. Fin 2009, Lefigaro ou Lemonde disposaient respectivement de rédactions de 40 et 35 journalistes. L'hypothèse du développement de zones *premium* payantes a conduit le premier à envisager de renforcer encore cet effectif. Il n'est cependant pas certain que la voie de la croissance de la taille des équipes dédiées soit la plus probable pour les sites adossés à un autre média. L'accent est plutôt mis sur la coopération des journalistes et services des différents supports, ce qu'il est convenu de qualifier d'« intégration » des rédactions. C'est l'option que privilégient le *Guardian*, *Blick* ou *Le Parisien*, bien qu'à des degrés divers. Cela n'empêche pas *Le Parisien* d'employer une petite vingtaine de journalistes au sein d'un « desk » Web et d'une cellule vidéo, alors que l'ensemble des services de la rédaction peuvent être amenés à intervenir dans la production du contenu du site. Les sites de presse quotidienne locale, comme ceux orientés vers l'analyse, le commentaire de l'information ou l'opinion, disposent d'équipes dédiées les plus légères possible. Ce ne sont très souvent que quatre à cinq journalistes qui finalisent et mettent en scène les articles, issus de la rédaction papier, d'un réseau de pigistes ou de sites partenaires (pour Slate.fr). La nature même du contenu privilégié (textes d'analyse, information de proximité, dossiers, expertise) comme les contraintes économiques ne permettent pas de dédoubler les équipes, alors que le positionnement éditorial même enlève tout sens à disposer d'un desk important capable de fournir un flux d'actualité en continu. Les *pure-players* d'enquête, d'analyse ou de critique sont dans une situation intermédiaire avec des équipes allant d'une grosse dizaine de journalistes (Bakchich, Owni, Rue89) à un peu plus d'une vingtaine (Mediapart, Slate.com). Leur particularité tient davantage au type d'emplois journalistiques qui les composent, soit un éventail assez large de spécialités, des plus classiques (reporters, journalistes d'investigation, spécialistes d'économie, de politique, éditorialistes) aux plus inédites (data journalistes, *community managers*, etc.).

Ces trois types de configurations, correspondant à quatre grandes formes de médias, n'épuisent pas la diversité des formes de presse et des situations. Un *pure-player* naissant tel que Lesnouvellesnews n'emploie que deux journalistes et associe un réseau encore modeste de pigistes. Les quotidiens économiques ont des équipes dédiées comparables, d'une grosse dizaine de journalistes, et pratiquent une intégration forte avec les rédactions imprimées, alors que le second bénéficiait d'une complémentarité beaucoup plus modeste avec 20minutes.fr. Cette taille est d'ailleurs comparable à l'équipe journalistique d'un site laboratoire comme Lepost. Les secteurs magazines des grands groupes de communication font le choix d'équipes journalistiques Web mises au service des différents titres. Pour Prisma

Presse, cette structure réunit 55 journalistes spécialistes du média. Une chose est certaine : aucun acteur n'a encore opté en faveur du basculement de gros effectifs exclusivement sur le Web. Les statistiques de la Commission de la carte d'identité professionnelle des journalistes n'identifiaient d'ailleurs, en 2009, pour la France, que 578 journalistes travaillant sur le Web pour une profession qui emploie un peu plus de 37 000 personnes.

Si une telle diversité rend difficile la prise en compte des différents modes d'organisation des rédactions, certaines composantes se retrouvent dans la plupart des types de presse en ligne. Les desks symbolisent l'une des spécificités de la rédaction Web. Il s'agit là d'une équipe qui, en flux tendu, sur une large amplitude horaire (de dix-huit à vingt heures), alimente le site en nouvelles « chaudes ». Les journalistes regroupés en « éditions » successives se suivent tout au long de la journée. Contrairement au desk qui ne connaît aucune spécialisation, des « pôles » — plutôt que des services — sont chargés de développer l'actualité selon les catégories classiques : international, politique, société-faits divers, économie, culture, etc. L'intégration des rédactions conduit à faire de ces pôles les points d'articulation et d'adaptation entre les contenus produits pour le média imprimé ou audiovisuel et le Web. En presse régionale, le développement de l'information de proximité repose sur des localiers travaillant sur plusieurs supports, disposant d'outils adaptés (minicaméras numériques par exemple). Il leur revient de gérer les formes et les timings différents de l'information pour chaque support (les DMA, pour « dernières minutes d'actualité » destinées au Web, dans la terminologie adoptée par *Ouest-France*). Ils peuvent selon les cas s'appuyer sur un encadrement ou des journalistes spécialistes du Web (qualifiés par certains de « référents ») pour faire face aux situations sortant de l'ordinaire. La dimension contributive du Web (commentaires, blogs de non-journalistes, forums, etc.) appelle la constitution d'équipes, pour la plupart très réduites, d'animation de communauté. Selon les sites, cette fonction est confiée à des journalistes qui ont vécu les principales évolutions du média ou au contraire à des journalistes, voire des cadres, très reconnus dans l'imprimé, à l'image de

Jean-Marcel Bouguereau pour Nouvelobs. Enfin, la finalisation et la mise en scène du site au fil de la journée reposent sur une cellule où cohabitent cadres (rédacteur en chef, chef d'édition) et spécialistes de l'édition (secrétaires de rédaction, éditeurs, *front page editor*...). Elle peut prendre différentes dénominations : Mediapart parle par exemple de « central », sorte de centre nerveux de la rédaction.

La presse en ligne fait apparaître des formes de journalisme originales en même temps qu'elle fait évoluer certains emplois traditionnels de la profession. Faut-il considérer le journalisme de desk comme une spécificité de la presse en ligne ? En réalité, ce journalisme « posté », travaillant uniquement devant son ordinateur et essentiellement sur les données auxquelles il accède par celui-ci, n'est pas nouveau puisqu'il se retrouve dans les agences internationales, comme dans la plupart des radios et télévisions d'information en continu préparant flashs et commentaires d'images (CNN par exemple). L'impact du journalisme de desk sur la représentation des rédactions du Web tient davantage au fait qu'il est le plus nombreux dans chaque site généraliste d'actualité. L'amplitude des horaires, la répétition des tâches, l'organisation en éditions se succédant à la manière des équipes de fabrication des biens de grande consommation ont pu conduire à parler de « forçats de l'info ».

Les « animateurs de communauté » ou *community managers* constituent une forme inusitée, qui interroge également. Intervenir dans les commentaires des internautes, relancer pour amplifier le volume, voire la diversité de ceux-ci, y compris par l'intermédiaire des réseaux sociaux, susciter la création de blogs, lancer et dynamiser des forums, proposer des *chats*, ramener vers la rédaction des sujets d'articles, de dossiers, voire d'enquêtes issus des préoccupations manifestées par les internautes (comme *MP's expenses* du Guardian) sont les principales dimensions de ce rôle en invention. Pour autant, relèvent-elles du journalisme ou de l'animation, comme dans l'audiovisuel où cette dernière a toujours été considérée comme une profession à part non journalistique ? Les *community managers* existent dans des sites de jeux, voire des intranets d'entreprise. Ils sont issus de filières tout autres que le journalisme (communication, e-marketing, etc.). La question interpelle encore peu, parce qu'elle concerne un petit nombre de journalistes, sans parler du fait que le contenu de la fonction évolue rapidement. Il faudra sans doute trancher entre une profession non journalistique collaborant avec la rédaction (sur le modèle des documentalistes) et une nouvelle catégorie de journalistes à part entière, ce qui mériterait d'en clarifier l'appellation trop extensive de *community manager* : « journaliste animateur de communauté » ?

D'autres profils de journaliste du Web sont plus faciles à situer vis-à-vis des pratiques de la profession dans d'autres médias. Le *front page editor* se rapproche de l'éditeur de la presse anglo-saxonne ou du secrétaire de rédaction, sachant que son rôle est de concevoir, animer, faire vivre la « page d'accueil ». L'objectif est de la rendre la plus dynamique et attractive possible. Le *front page editor* constitue une facette du rôle du « central ». Le développement d'un journalisme multimédia, polyvalent, capable de traiter l'information aussi bien par le texte que par la photo, le son ou la vidéo, peut apparaître comme une forme de rupture au regard des anciennes spécialisations par support. En revanche, la nature même des rôles ne change pas forcément : reporters, localiers, enquêteurs, rubricards. La question que pose le Web est moins celle de la forme de journalisme que celle de l'organisation, avec les problèmes d'articulation, d'intensité et surtout de timing différents entre les supports. Les journalistes de pôles spécialisés par types de sujets se rapprochent également de leurs collègues des principaux services d'un journal, d'une radio ou d'une télévision. Les spécificités du Web tiennent ici à la petite taille des équipes de presse en ligne, plus qu'aux outils employés pour rédiger, illustrer, mettre en forme... Il est enfin des journalistes dont l'activité est similaire à ceux de la presse écrite quotidienne ou périodique d'actualité. On en trouve la majorité dans les sites d'enquête, d'analyse, de critique de l'actualité, bien souvent des *pure-players*, du moins en France (Mediapart, Rue89, Slate, Bakchich, etc.). Ils représentent en même temps un secteur limité de la presse en ligne. Toute la question est de savoir s'ils anticipent une certaine montée en maturité du Web en tant que média d'information ou s'ils sont voués à n'être qu'une frange, sans doute prestigieuse, mais ne s'adressant qu'à un public restreint.

Outre le rôle joué par chaque type de journaliste et les compétences requises, les représentations du journalisme de la presse en ligne sont très marquées par les statuts et conditions de travail qui prévalent dans ces rédactions jeunes. Les tensions sur le modèle économique, combinées à l'image d'équipes pionnières, ont souvent conduit à multiplier les statuts fragiles, voire dérogatoires. Stages, formations en alternance, apprentissages ont été multipliés au point de représenter parfois une proportion substantielle des équipes. Il n'en fallait pas plus pour donner aux journalistes du Web une réputation de professionnels moins bien formés, de moindre compétence [Estienne, 2007]. L'image d'un journalisme *low cost* est renforcée par le fait que, quelle que soit leur compétence, les journalistes Web peuvent se voir imposer des CDD ou être employés par des filiales relevant de conditions sociales moins favorables. Des salaires plus bas, des temps de travail prolongés finissent de conforter l'idée que le Web fait naître une forme d'emploi journalistique de seconde zone, un « journalisme de placard », écrit même Yannick Estienne. L'intégration des rédactions, combinée à la multiplication d'expériences de sites *pure-players* d'enquête et d'analyse, suffira-t-elle à faire évoluer cette situation ? Les exemples de grands reporters, d'éditorialistes, de spécialistes reconnus proposant des dossiers, des séries d'articles ou animant leurs blogs, commencent à faire bouger les choses. La réponse se situe du côté du modèle économique qui, en s'affermissant, permettrait d'étoffer les équipes tout en confortant leur niveau de compétence.

Publicité

Sur Internet, comme en presse écrite, les ressources publicitaires prennent deux formes distinctes qui sont la publicité commerciale (ou de marque) et les petites annonces (PA ou *classified*). La particularité du Web tient à ce que ces deux formes de communication des annonceurs ne se retrouvent pas réunies sur les mêmes « titres » ou sites. Si *Le Figaro*, par exemple, propose, dans ses pages papier les très lucratives, annonces d'emplois et annonces immobilières, sur le Web ces mêmes PA vont être proposées dans des sites spécialisés distincts (Keljob, Cadreemploi, Explorimo, etc.) regroupés au sein d'une filiale du groupe Aden Classified. Le groupe Springer, de son côté, peut racheter le site d'annonces Seloger.com, créé indépendamment de sites d'information. Par ailleurs, sur le marché des annonces classées, les sites de presse font face à la concurrence de puissants *pure-players* (Craigslist, Monster) ou de groupes de médias internationalisés, tel le norvégien Schibsted et ses sites Leboncoin.

L'anticipation de cette évolution des petites annonces est d'autant plus cruciale qu'en se déportant sur l'Internet celles-ci tendent à disparaître de l'imprimé, ou à y rester à des niveaux de tarif infiniment plus bas — ceux des sites dits *classified* sont *grosso modo* divisés par dix [États généraux de la presse écrite, 2009]. En 2010, les groupes qui articulent sites d'information et sites d'annonces sont les seuls à trouver une véritable rentabilité sur Internet. Pour autant, cette séparation de sites spécialisés d'annonces fait planer la menace que les propriétaires, surtout lorsque ceux-ci relèvent d'un capital financier, mettent l'accent sur les sites les plus lucratifs (de PA) aux dépens des moins rémunérateurs (l'information). L'Internet présente la particularité de remettre en cause fondamentalement la technique de la vente liée qui permettait aux éditeurs de presse, mais aussi à l'industrie de la musique, de vendre l'information et la publicité packagée. C'est la raison pour laquelle le modèle économique du papier n'est plus pérenne sur un nouveau support où la pratique des subventions croisées est devenue beaucoup plus complexe.

Dans le domaine de la publicité commerciale, les médias qui se diversifiaient sur le Web ont d'abord cru pouvoir compter sur leurs propres régies. *A priori*, vendre une audience d'internautes aux mêmes annonceurs, plutôt ou en même temps qu'une audience de lecteurs, auditeurs ou téléspectateurs, ne paraissait pas poser de problèmes particuliers. Tout au plus pensait-on qu'il faudrait former les vendeurs rompus à la vente d'espace pour tel ou tel secteur économique. Seuls les médias s'appuyant sur des régies externes ou des *pure-players* étaient amenés à s'interroger sur le choix entre les anciennes grandes régies (Interdéco, Publiprint, Havas, Publicis) et les nouveaux venus (tel Hi Média). La perspective du couplage entre supports ou *cross media* plaidait en faveur des anciennes régies. Les résultats sont décevants, alors que la vente d'espaces classiques, représentés sur le Web par les bandeaux d'annonces ou « bannières », appelés également *display*, paraît avoir trouvé ses limites et stagne, lorsqu'elle ne recule pas, sur des sites dont l'audience continue de progresser. C'est que, dans la publicité commerciale, le nouveau média a également ses spécificités dont les contours n'apparaissent que progressivement. Un principe s'impose cependant sur un support qui permet de mesurer l'activité du public (le « clic », la « recherche »), les annonceurs privilégient un mode de communication (et de tarification) à la performance (nombre de clics, temps passé, prolongement par la visite du site de l'annonceur, acte d'achat) et selon les caractères propres de chaque internaute (notion de profil). Partant de là, les offres sur lesquelles travaillent les régies tentent de combiner ces deux dimensions, avec la contrainte de ne pas dépasser les limites qui détérioreraient le caractère d'information autonome du site. Régies spécialisées dans le Web, régies externes ou régies intégrées, chacun doit former et spécialiser des équipes de vente propres au support. Celles-ci doivent impérativement donner une très grande place à la veille commerciale et technologique, tout en faisant preuve de la plus grande disponibilité à l'innovation et la créativité.

Marketing et commercial

Confrontée à un support où règne la profusion de l'offre, la presse en ligne se doit de développer une démarche de marketing très active, en même temps qu'elle déploie tout un éventail d'activités et de services commerciaux, capables de compléter l'insuffisance de rémunération par la publicité et la vente de l'information. Chaque site de presse en ligne, émanation d'un média ou *pure-player*, dispose donc de structures marketing et de commercialisation. Pour les *pure-players*, elles sont très légères, se réduisant parfois à un ou deux individus. Pour les sites de diversification des médias, ce sont des effectifs de leurs services marketing et commerciaux qui sont affectés et spécialisés sur le Web. Le marketing est au carrefour de trois missions cruciales pour l'avenir et la viabilité du modèle économique de la presse en ligne : le référencement par les agrégateurs et la recommandation, la vente des contenus, le développement de services et de l'e-commerce.

Sur Internet, la part la plus substantielle des utilisateurs, pour ne pas dire parfois l'essentiel des utilisateurs qui accèdent à un site d'information, y parviennent par le biais de liens dont les plus nombreux sont ceux qui transitent par les agrégateurs, à commencer par Google. Cette exposition du contenu des sites d'information par le biais des agrégateurs n'a rien d'aléatoire. Elle découle d'algorithmes [Rebillard, 2009] dont les plus décisifs sont aujourd'hui ceux de Google qui croisent une série de critères (voir chapitre VI) dont il est essentiel que les services marketing aient la meilleure connaissance. Au-delà, l'enjeu pour ceux-ci est d'identifier les principaux facteurs de référencement ou de recommandation (*via* les réseaux sociaux notamment) et de proposer les réponses possibles pour la conduite du site, y compris la manière de concevoir et mettre en ligne ses contenus. Cette dimension du marketing des sites d'information a peu à voir avec les connaissances et techniques en vigueur en matière de marketing de presse, dont les principaux volets sont ceux relatifs à la connaissance du public et de ses usages, ainsi que la maîtrise des attentes des annonceurs à l'égard de chaque support. À ces dimensions toujours présentes s'ajoute donc la question de cette catégorie d'intermédiaires décisifs qualifiés par Franck Rebillard et Nikos Smyrnaios d'« infomédiaires » [*Cahiers du journalisme*, 2009]. La matière est à la fois nouvelle et extrêmement évolutive. Elle exige d'associer une pratique de veille très attentive à une constante adaptabilité, comme l'illustre assez bien l'exigence d'intégrer les réseaux sociaux tels que Facebook, Twitter ou Dailymotion dans la démarche de référencement.

La vente de contenus recouvre des formes différentes selon les caractéristiques des sites, leur approche en matière d'abonnement ou la perspective de développer la vente par article (micropaiement). Les sites de presse en ligne à forte identité et notoriété, dont le contenu fait référence, recherchent des tiers qui peuvent être intéressés par la reprise d'une partie de leur contenu moyennant rémunération. Ceux-ci peuvent être des portails, tels Yahoo ! ou Orange. Il peut s'agir également de sites d'information, comme dans le cas de la reprise de contenus de Bakchich par Letelegramme. Pour Lemonde, cette vente à des tiers représente une part significative des recettes liées à la vente de contenus. La commercialisation d'abonnements peut s'envisager très différemment selon que le site est lié à une entreprise de presse jouissant d'importants portefeuilles d'abonnés pour lesquels il est possible de concevoir des formules d'abonnement couplées. Cette voie est le fait de titres de presse nationale (*Le Monde* ou *La Croix*) ou régionale (*Ouest-France* ou *Le Télégramme*). Pour les *pure-players*, les approches en termes d'abonnement sont plus difficiles à construire. Aux États-Unis, Salon développe une démarche mixte faisant cohabiter contenus gratuits et zones abonnés, une voie que devait également adopter Bakchich. En France, Arretsurimages et Mediapart proposent une approche centrée sur l'abonnement, les espaces de gratuité se limitant aux parties contributives (le « club » Mediapart). L'abonnement prend de plus en plus la forme du mixte entre un contenu très chaud, factuel et gratuit, et des contenus plus développés, à valeur ajoutée éditoriale (zones *premium*), qui sont proposés à l'abonnement. Reste pour chaque équipe commerciale le défi de la vente à l'unité, par article, par dossier, par édition d'un jour ou d'une période de temps courte. Ce micropaiement doit-il être appréhendé site par site ou grâce à des regroupements d'éditeurs, avec ou sans partenaires ? Google, mais aussi les organisations professionnelles de quotidiens nationaux (E-Presse Premium) et régionaux, en France, avec la notion de kiosque, se sont positionnés sur ce marché. Tel est le chantier qui s'ouvre, loin de se stabiliser pour chaque équipe marketing et commerciale.

Les données disponibles au tournant des années 2010 ne permettent pas d'imaginer un équilibre, encore moins une rentabilité du modèle économique de la presse en ligne ne reposant que sur le seul apport de la publicité et de la vente du contenu. Les équipes marketing et commerciales doivent, dès lors, identifier des modes de rémunération indirects de l'information et de l'attractivité des sites d'information, sous forme de vente de services et de produits (e-commerce). Le domaine de la vente de services est peu développé et se limite bien souvent à des réservations pour différentes activités culturelles et de loisir. Les équipes marketing de la presse locale vont devoir imaginer toute une gamme de fonctionnalités qui peuvent être apportées aux internautes, habitants de la zone à laquelle ils s'adressent. Ceux-ci devraient couvrir tout un espace se situant entre le communautaire et l'e-commerce. Les sites d'information à couverture nationale sont également appelés à une telle démarche, l'une des voies pouvant résider dans les moyens et outils facilitateurs de l'accès à l'information, aux services utiles. L'e-commerce proprement dit a fait partie dès l'origine de l'approche de la presse américaine concernant Internet [Pélissier, 2001]. Ensuite, la place donnée aux stratégies de conquête de l'audience et d'offre de contenus gratuits n'a pas poussé au développement de cette approche. Désormais, les services marketing prospectent systématiquement les moyens de commercialiser des produits portant la marque du titre et du site d'information (selon l'approche classique du merchandising), d'intégrer dans le site d'information des accès à des sites de commerce en ligne, partenaires, avec perception d'une commission sur les ventes (tel Lefigaro avec Bazarchic et Tiketac). Une dernière piste consiste à susciter un financement volontaire de l'information ou des sites par le public au travers de structures *ad hoc* (Jaimelinfo, Glifpix, qui s'inspirent de la démarche du « journalisme à la demande » de sites nord-américains, tel ProPublica).

Technique

L'enjeu des choix techniques [Bouquillon et Matthews, 2010] semble avoir été un temps sous-estimé par une partie de la presse en ligne. L'essentiel paraissait de se distinguer par un contenu performant, alors que les moyens et outils techniques auraient été relativement aisés à obtenir par les équipes informatiques du journal, voire par le recours à des sous-traitants. Telle n'est plus la tendance dominante qui voit, au contraire, l'ensemble des sites de presse en ligne — et pas seulement ceux qui tentent de gagner la tête des audiences — exprimer une préoccupation constante de disposer des développements et des systèmes les plus efficients. Il en va à la fois de la qualité de présentation des contenus, de la diversité des modes de traitement de ceux-ci, mais également du confort et de la facilitation de la circulation des internautes dans les différentes fonctionnalités du site. C'est dire qu'il est loin le temps où *L'Humanité* confiait le développement de son site à un groupe de militants informaticiens, même si un *pure-player* de journalistes peut encore, dans ses débuts, s'appuyer sur les compétences de quelques familiers (Lesnouvellenews). Dans la plupart des cas, les équipes techniques travaillant au développement et sur les serveurs des sites de la presse en ligne représentent une bonne dizaine d'informaticiens, que ce soit en interne ou chez des sous-traitants.

L'importance des services techniques de chaque entreprise de presse en ligne dépend d'abord du choix de réaliser en interne ou de sous-traiter. Un second facteur tient à la diversité des contenus et supports proposés (mobiles, tablettes), voire des formats éditoriaux tels que des émissions en studio télé (Lefigaro ou Lesechos). L'option interne peut conduire à une équipe de plusieurs dizaines d'informaticiens, comme dans le cas de OFM (*Ouest-France*). Les équipes totalement intégrées sont plutôt le fait d'entreprises ou groupes solides ayant un fort potentiel de compétence dans le domaine. Des sites français peuvent voir une partie de leur développement pris en charge par les structures de leur maison mère, tel Rossel pour Lavoixdunord ou encore Mondadori. Dans le contexte français, la dominante est cependant à distinguer entre le développement qui se fera plus ou moins complètement en interne et l'hébergement qui est davantage sous-traité. Une particularité de l'histoire de la presse française tient à la place originale qu'y joue une société issue des services Minitel. Cette société, SDV Plurimédia, est créée à l'origine par les *Dernières Nouvelles d'Alsace* dans le cadre de la participation à l'expérimentation télématique Gretel, qui conduit à la mise au point de la première messagerie instantanée. Au fil des évolutions de compétences allant des différents services télématiques, grand public et professionnel, aux formes les plus contemporaines de l'Internet, SDV est restée le partenaire technique de nombreux groupes de presse régionale (Letelegramme.), mais aussi nationale, dont Lesechos et Lefigaro. Ces deux titres soulignent d'ailleurs que le choix de sous-traitance de l'hébergement et d'une partie des développements n'est pas une question de taille, mais d'opportunité et de stratégie de développement.

Dans les considérations relatives à la sous-traitance interviennent des questions de coût, de compétence des équipes techniques internes, mais également et peut-être surtout d'anticipation des évolutions à venir. Disposer d'équipes internes importantes, intégrant le maximum d'activités, présente l'avantage d'une réponse rapide aux demandes formulées par la rédaction ou le marketing. En revanche, cela ne met pas à l'abri d'un déclassement, d'un retard pris au regard de la concurrence. Les ruptures ou virages très substantiels dans les solutions développées sont plus difficiles à négocier. À l'inverse, la sous-traitance permet, moyennant une veille interne de qualité, de s'adresser aux équipes les plus performantes pour chaque sujet et axe de développement (intégration de la vidéo, passage au mobile, articulation aux réseaux sociaux, etc.). La contrepartie, au moins pour les plus petits, est celle de délais d'attente vécus comme pénalisants, liés à la surcharge de sollicitation et donc de travail que connaissent les meilleurs spécialistes d'une question.

Sous-traitance et partenariat

Les structures des entreprises de la presse en ligne s'apparentent à une forme largement développée par les magazines et qui a pu être qualifiée d'« entreprise réseau » [Charon, 2008]. Il est probable qu'elles marquent une amplification de la tendance à l'externalisation vers des sous-traitants : régies publicitaires, développements techniques, hébergeurs, sociétés spécialisées dans la modération des commentaires, mais également fourniture d'information « brute » ou clés en main (agences, blogs d'experts, etc.). De façon plus originale, un mouvement de partenariats s'amplifie également qui peut porter sur le développement et la diffusion de contenus, comme sur les services et l'e-commerce. En matière de partenariat éditorial, Orange, en tant que portail, a tissé des liens aussi bien avec des sites nationaux (Lefigaro et le Buzz média ou le *Talk*) que régionaux (Letelegramme, par exemple). Ceux-ci concernent le plus souvent des contenus vidéo. Dans le domaine de l'e-commerce, les coopérations avec des partenaires commerciaux remontent aux balbutiements de la presse en ligne par les quotidiens américains. Désormais, ceux-ci peuvent se déployer à grande échelle, comme lorsque le groupe News Corp (Wsj, Nypost, Timeonline.co.uk, Thesun.co.uk, etc.) annonce une alliance avec BrandAlley, spécialisé dans la vente de marques dégriffées au niveau international. Ce même BrandAlley serait également partenaire du site Leparisien, à la fois dans la perspective de commissions sur les ventes, mais également pour la constitution de bases de données d'internautes. À une échelle plus modeste et dans des domaines spécialisés ou ciblant les caractéristiques des publics des sites concernés, il est possible de citer les partenariats pour Lesechos avec Wineandco.com, Grazia.fr et 24h00.fr, Elle.fr et EspaceMax.

Loin d'être anecdotiques, les différents partenariats actuels marquent une double évolution plutôt souhaitable pour la presse en ligne. La première est éditoriale. Elle concerne au premier chef les infomédiaires qui, s'appuyant sur le contenu des sites d'actualité, pourraient être davantage amenés à les considérer comme des alliés avec lesquels ils partageraient la rémunération des audiences engendrées. Si les portails semblent plus disponibles à une telle approche, la question des agrégateurs et en premier lieu de Google est assez décisive (voir chapitre VI). Pour ce qui est des partenariats dans les domaines des services et de l'e-commerce, ils paraissent être un passage obligé pour un véritable décollage de ce mode de rémunération indirecte de l'audience et des contenus. Faute de pouvoir coopérer avec les spécialistes les plus performants de ces domaines, les services proposés par la presse en ligne risquent la marginalisation dans un domaine où s'opère une accélération de la montée en puissance des grandes enseignes, qu'il s'agisse de *pure-players* (Ebay, Amazon, PriceMinister, CDiscount) ou d'acteurs traditionnels redéployés sur le Web (La Redoute, Fnac, 3 Suisses, etc. pour la France).

Le recours à la sous-traitance et les formes organisationnelles induites par les choix des éditeurs dépendent principalement de deux points. La sous-traitance est rendue possible lorsque le marché des sous-traitants est concurrentiel : il assure alors aux entreprises de ne pas être dépendantes d'un marché monopolistique. La sous-traitance est aussi nécessaire dans le cas de toutes les activités qui correspondent à des savoir-faire spécifiques que les éditeurs ne maîtrisent pas (la dépendance étant là encore limitée si le marché est concurrentiel). La sous-traitance est en revanche exclue pour les activités correspondant à des actifs stratégiques. C'est ainsi que, dans le cas de la presse quotidienne régionale, les éditeurs ont internalisé les régies de publicité locale (qui correspondaient *grosso modo* à 85 % de leurs recettes publicitaires), alors qu'ils ont eu tendance, *a contrario*, à externaliser la publicité extra-locale pour laquelle ils ne bénéficiaient pas d'avantage compétitif.

V / Le modèle économique de la presse en ligne

Les coûts

En première approximation, il est possible de considérer que le modèle économique de l'Internet repose sur un modèle de coûts fixes (correspondant pour l'essentiel aux coûts éditoriaux et aux services généraux). Le modèle économique ne diffère pas en ce sens des constats abondamment réalisés dans l'économie des médias. Il s'inscrit dans la logique du phénomène des économies d'échelle qui permettent *grosso modo* à un site de voir son coût moyen se réduire lorsque son audience augmente. En découle alors une implication forte dans la gestion des sites : une fois le seuil de rentabilité atteint, la croissance des recettes est déconnectée des coûts supportés et fait de certains sites de véritables pépites engendrant des taux de marge inconnus sur le papier. Le groupe de presse Schibsted affiche ainsi des taux de marge opérationnelle exceptionnels pour deux sites de petites annonces, Finn en Norvège et Blocket en Suède, avec respectivement 36,7 % et 58,9 % en 2008. Il faut néanmoins reconnaître que de tels chiffres n'ont jamais été observés pour les sites de presse et que demeure en 2010 l'impression que la recherche de l'équilibre économique relève quasiment de la quadrature du cercle.

La distribution

La distribution de l'information est profondément marquée par les caractéristiques du support utilisé. Dans le cas de la télévision et de la radio, la distribution de l'information (et des autres services utilisant ces médias) dépend principalement de l'attribution des fréquences qui, en raison de leur rareté, sont soumises à la réglementation. Dans le cas de la presse, l'accès au système de distribution, considéré, avec justesse, comme étant un préalable à la libre circulation de l'information et à la défense du pluralisme, est aussi encadré par une loi (loi Bichet de 1947) qui pose dans son principe l'ouverture du système de distribution à l'ensemble des acteurs à partir du moment où ils sont adhérents des messageries de presse.

Dans le cas des sites de presse, la distribution a pu apparaître, dans un premier temps, comme un moyen permettant de s'affranchir des contraintes (comme la distance) qui existaient dans les autres médias. La dématérialisation de l'information présente la potentialité de pallier les déficiences du système de distribution physique et de toucher un marché potentiel dont les frontières ne sont plus limitées par les contraintes physiques de la géographie et des territoires. Elle offre la possibilité d'atteindre plus facilement le public localisé dans les zones à faible densité de population et dans les zones éloignées des centres d'impression, particulièrement le lectorat installé à l'étranger.

Toutes choses égales par ailleurs, le passage du support papier à un support numérique entraînerait la réalisation d'économies (papier, impression, distribution physique) évaluées entre 50 % et 60 % des coûts totaux supportés par un journal. Le « coût de distribution » de l'Internet n'est néanmoins pas nul dans la mesure où les éditeurs doivent tenir compte du fait que la majorité des internautes ne viennent pas directement sur leurs sites. La recherche de nouveaux internautes passe en effet par l'obligation de se faire référencer et d'avoir une visibilité suffisante dans les moteurs de recherche pour apparaître dans les premières requêtes proposées aux internautes. Le recours aux *smartphones* implique aussi de céder une partie des recettes aux interfaces comme Apple.

Cependant, la rupture induite par le recours à de nouvelles technologies n'a pas été sans incidence sur le rapport de forces existant entre les différents acteurs de la filière de distribution. Dans le cas du papier, les éditeurs avaient la possibilité d'utiliser le réseau national existant dédié à la distribution de la presse en ayant recours à Presstalis (ex-Nouvelles messageries de la presse parisienne) et aux Messageries lyonnaises de presse. Ils pouvaient aussi, comme le faisaient les éditeurs de presse quotidienne régionale, maîtriser leur propre distribution en déposant leurs exemplaires dans les points de vente. Les choix des éditeurs s'expliquaient alors principalement par les caractéristiques économiques du système de distribution : aucun titre national ne pouvait maîtriser sa propre distribution et utilisait le réseau de distribution national générateur d'économies d'échelle ; les titres régionaux pouvaient, quant à eux, maîtriser leur distribution en raison de la concentration de leur lectorat sur un territoire donné.

La dématérialisation de l'information n'a pas placé les éditeurs de contenus en position de force. De nouveaux intermédiaires (fournisseurs d'accès — FAI — et moteurs de recherche) sont en effet intervenus dans le processus de distribution. Dans le cas du Web, les observateurs ont pu avoir l'impression que le pouvoir de marché serait lié à la position des FAI qui occupaient la position, enviable, de pouvoir faire payer l'internaute qui, sans abonnement, ne peut accéder au réseau. Les éditeurs de contenus devaient alors stratégiquement se rapprocher de ces fournisseurs et voir de quelle manière ils pouvaient proposer une exclusivité (d'informations ou de services) qui bénéficierait aux clients des FAI. Mais l'évolution du Web a montré que le pouvoir de marché ne se situait pas nécessairement là où il était attendu. Le pouvoir de marché est aux mains des moteurs de recherche (ou dans les mains d'Apple dans le cas de l'iPhone). Ceux-ci occupent en effet la position cruciale dans la chaîne de distribution : face à une offre quasi infinie, le moteur de recherche est indispensable pour des internautes à la recherche de la satisfaction d'un besoin particulier. Sans ces moteurs, les internautes n'auraient accès qu'à une information parcellaire. La question du pouvoir de marché des moteurs de recherche est d'autant plus cruciale que le secteur est très fortement concentré. Il est en effet largement dominé par Google, numéro 1 de l'audience en France, réalisant plus de 80 % de cette fonctionnalité (plus de 60 % des requêtes dans le monde), même si un acteur comme Yahoo ! (numéro 2 au niveau mondial, suivi du Chinois Baidu, de Bing développé par Microsoft, puis du Sud-Coréen NHN) se positionne de plus en plus sur cette fonctionnalité. Fin 2009, Google réalisait 65,7 % des recherches aux États-Unis, devant Yahoo ! avec 17,3 %, suivi de Bing avec 10,7 %. Google, comme Yahoo !, outre leur moteur de recherche, exercent un rôle de veille en matière d'information d'actualité, qui prend la forme des services Google News (Google Actualités pour la France) et Yahoo ! Actu.

Il en découle donc pour les sites de presse que leur audience dépend fortement des algorithmes utilisés par les moteurs de recherche et des investissements qu'ils doivent faire pour être référencés par ces moteurs (voir *infra* les remarques sur le *search marketing*). L'influence des moteurs de recherche sur le modèle économique des sites de presse ne se réduit pas uniquement à la distribution et porte aussi sur les recettes publicitaires des sites, comme nous le verrons plus loin.

La masse salariale : rédaction et technique

Des observateurs avisés, comme Frédéric Filloux, considèrent qu'une rédaction numérique d'un site *pure-player*, capable de produire des informations répondant aux standards de qualité de la profession, devrait être composée d'une centaine de journalistes, l'équipe de direction nécessaire pour manager cet ensemble représentant 20 % du personnel. S'engager dans une telle rédaction impliquerait pour un éditeur d'investir à hauteur de 7 millions d'euros en masse salariale. Dans le modèle théorique envisagé dans le tableau 1, on retrouve une masse salariale représentant 70 % des charges totales. Ce chiffre semble conforme à la réalité (dans le cas de Rue89, cette part s'élève à 75 %). Ces montants confirment la logique des économies d'échelle en œuvre dans ce secteur : à masse salariale donnée, le coût moyen par internaute diminue de façon importante. Ils rappellent aussi que les sites de presse ont un modèle économique à forte intensité de travail.

Tableau 1. **La construction du modèle économique d'un *pure-player***
(En millions d'euros)

Recettes		Charges	
Publicité	2,1	Salaires	7
À trouver	7,9	Équipement	1,4
		Divers	1,6

Équipement : bureaux, ordinateurs...
Les recettes publicitaires se fondent sur une audience de 3 millions de visiteurs uniques vendue à 0,70 euro par tête.

Source : Frédéric Filloux, « Monday Note », n° 96, www.mondaynote.com/frederic-filloux.

L'enquête effectuée par nos soins en 2009 auprès d'une trentaine de sites de presse a permis de montrer que les sites d'information générale étaient loin d'atteindre la fameuse barre des 100 journalistes. Dans le cas d'un *pure-player* comme Rue89, on dénombrait 15 journalistes. Concernant Lepost, qui a adopté un positionnement éditorial différent, la rédaction s'élevait à 11 personnes. Pour d'autres sites adossés à un journal papier, le nombre de journalistes était relativement faible (au regard de la rédaction papier) : 35 dans le cas de Lemonde, 30 au Nouvelobs, 18 à Liberation, 17 à Lesechos... Il ne fait pas de doute que ces sites de presse ne pourraient pas proposer le même niveau de qualité de l'information s'ils ne bénéficiaient pas du soutien indirect de la rédaction papier. L'implication est que, économiquement, les coûts de la rédaction sont sous-estimés (même si, dans le cas de Lemonde, celui-ci reverse une partie de son chiffre d'affaires au journal). Une réelle indépendance de ces sites signifierait un investissement accru dans le rédactionnel et un seuil de rentabilité plus difficile à atteindre.

Il ressort d'autre part que les emplois techniques, nécessaires au développement des sites, représentent empiriquement 30 % des emplois rédactionnels. Dans ces emplois, on intègre les fonctions de développeur, mais aussi de marketing. Le management est l'autre catégorie importante : Frédéric Filloux estime que le taux d'encadrement en termes de management est de l'ordre de 20 %.

Les autres coûts supportés par les sites correspondent logiquement aux bureaux et aux équipements informatiques.

Les recettes

La publicité

Le passage du *print* au *online* a des implications profondes pour les éditeurs qui avaient l'habitude de fonctionner à partir d'un support où, schématiquement, ils proposaient des informations et des services à leurs lecteurs et pouvaient, dans la majorité des cas (exception faite de titres comme *Le Canard enchaîné* ou *Que choisir*), vendre ensuite la cible atteinte aux annonceurs. Les éditeurs tiraient parti d'une demande qui était relativement captive, à la fois au niveau de la demande d'information (dans le cas de la presse quotidienne locale, un lecteur n'avait le plus souvent pas vraiment de choix dans la mesure où les marchés locaux étaient quasi monopolistiques), mais aussi au niveau de la demande de publicité (où les supports papier bénéficiaient d'un avantage certain tant que les annonceurs ne réussissaient pas à atteindre aussi efficacement la cible proposée par les éditeurs).

Si l'Internet permet dans l'absolu aux éditeurs de presse, désireux d'abandonner le papier, de réaliser des économies substantielles (en raison non seulement de l'absence d'impression, mais aussi des économies réalisées par la suppression des coûts de transport qui en découle), la révolution de la distribution de l'information ne s'est pas faite, contrairement à ce qui aurait pu être pensé, dans un sens favorable aux éditeurs de contenus. La technologie développée et maîtrisée par les moteurs de recherche leur donne une position dominante sur le marché de la publicité en ligne, position dominante qui peut être qualifiée de rente pour Google qui occupe, pour le moment, une situation de leader incontestable.

Le marché de la publicité en ligne peut être décomposé en deux types de publicité : d'un côté, l'affichage (le *display*) et le *sponsoring* ; de l'autre, la recherche (ou *search marketing*). Ces deux types de publicité ont des modes de tarification spécifiques.

Le *display* correspond aux bannières largement observées sur les différents sites, aux bannières verticales (ou *skyscraper*), à la publicité interstitielle (correspondant à un affichage en plein écran pouvant recouvrir la page visitée). Les développements de la technologie ont permis l'apparition du *rich media* (utilisation des technologies flash, java et de la vidéo) et du *billboard video* (spot publicitaire associé à une vidéo que l'internaute désire regarder, avec tout particulièrement le recours au *pre-roll* qui permet la diffusion d'un spot publicitaire au début de la vidéo visionnée). Le *sponsoring* correspond, quant à lui, à l'habillage d'un site Web aux couleurs de l'annonceur. Ces espaces publicitaires sont généralement vendus au coût pour mille (CPM).

Tout en rappelant la difficulté d'estimer le CPM moyen, l'Idate [2010] considère que le CPM brut moyen était compris en 2009 entre 10 et 40 dollars : autrement dit, dans la fourchette basse, un site ferait payer à un annonceur un coût de 10 dollars pour 1 000 contacts. L'estimation précédente ne concerne évidemment que le tarif brut moyen et non le tarif net. Dans un environnement concurrentiel très marqué, les éditeurs de site sont en effet souvent contraints d'accorder des rabais aux annonceurs (la norme dans le secteur serait d'accorder des rabais compris entre 70 % et 85 % du tarif brut). Ces rabais varient en fonction de plusieurs paramètres (format d'affichage, audience du site, profil de l'audience, thématiques abordées, emplacement de la bannière sur le site, niveau de ciblage...). La tendance déflationniste pesant sur les prix permet de comprendre pourquoi certains acteurs cherchent à s'affranchir d'une vente de l'espace publicitaire au CPM. C'est ainsi que Yahoo ! et MSN proposent des modes de tarification alternatifs où les espaces publicitaires sont vendus à la journée (soit

330 000 euros bruts par jour en semaine et 245 000 euros le week-end pour MSN).

Le *search marketing* repose sur le principe de la recherche en ligne. Il correspond aux liens commerciaux qui apparaissent sur les pages des résultats des requêtes faites par les internautes. Ces liens s'affichent dans des espaces réservés (souvent dans le bandeau en haut de page et dans la colonne de droite). Les liens commerciaux n'apparaissent évidemment pas de façon aléatoire et dépendent clairement de la politique de référencement des sites qui achètent des mots clés dont l'objectif est de faire en sorte que la publicité soit en rapport avec la recherche des internautes. Ce marché publicitaire, dominé par Google, ne se limite pas aux liens commerciaux, mais propose aussi des liens contextuels (qu'il est possible d'observer sur les sites de presse). Le lien contextuel implique une affinité de l'annonce publicitaire avec la ligne éditoriale du site. Il suppose aussi une adéquation forte entre les caractéristiques en termes de catégories socioprofessionnelles de l'audience du site et la cible visée par l'annonceur. Contrairement au *display*, le *search marketing* ne s'inscrit pas généralement dans une logique de construction de l'image de marque. Il procède de la volonté de l'annonceur d'atteindre le plus rapidement possible un retour sur investissement. Il est une solution publicitaire efficace. L'Idate [2010] rapporte que ce type de publicité connaît un taux de transformation quatre fois supérieur en moyenne à celui observé sur les formats de type *display*. Pour fixer un ordre de grandeur, les taux de transformation (ou *click-through-rates*) sont de 2 % pour Google. L'efficacité d'un tel dispositif suppose néanmoins que le référencement par mots clés soit optimisé et que l'internaute ne clique pas par mégarde sur l'annonce, auquel cas l'annonceur subit un coût sans contrepartie positive.

Le *search marketing* n'est pas vendu *via* une tarification de type CPM. Son mode de tarification est fixé à partir d'un tarif au coût par clic (CPC). Le tarif du coût par clic d'un mot clé est déterminé par un mécanisme d'enchères. Les annonceurs sont donc en situation de concurrence sur les mots clés et doivent contacter le fournisseur de liens commerciaux (et de liens contextuels) pour indiquer le prix qu'ils sont prêts à payer pour que, pendant une période donnée, leur annonce apparaisse dans les premières positions chaque fois qu'un internaute utilisera ce mot clé. Afin d'éviter que le budget publicitaire de l'annonceur n'explose, celui-ci a la possibilité de fixer un budget quotidien, hebdomadaire ou mensuel qu'il ne souhaite pas dépasser. En 2008, les tarifs en vigueur sur les grands moteurs de recherche aux États-Unis et en Grande-Bretagne se situaient entre 0,60 et 0,80 dollar. Dans le reste de l'Union européenne, le tarif au clic est inférieur à 0,20 euro pour les mots les moins valorisés et supérieur à 0,80 euro pour les plus recherchés, tout particulièrement dans le secteur de la finance et du crédit où le tarif peut être compris entre 4 et 5 euros.

Face à la concurrence du numérique et à l'ampleur de la crise économique, avec ses répercussions sur le marché publicitaire, certains quotidiens sont contraints, pour conserver leurs annonceurs, de proposer, non plus une tarification aux mille, mais une « tarification au clic ». C'est ainsi que les journaux du groupe East Bay Newspapers ont été amenés en 2009 à vendre des publicités pour lesquelles l'éditeur ne gagne pas un centime tant que les consommateurs potentiels n'ont pas appelé l'annonceur... Si cet exemple est encore marginal, il dénote la difficulté pour les éditeurs d'imposer des prix garantis indépendamment de la performance publicitaire du support lui-même. La presse papier était jusque-là la dernière à ne pas avoir vraiment utilisé ce modèle (contrairement à la radio, la télévision ou Internet), les raisons étant que cette pratique semblait plus difficile à réaliser au niveau du papier (moins interactif que les autres supports), mais surtout que les éditeurs ne souhaitaient pas brader leurs espaces publicitaires qu'ils préféraient vendre *ex ante* sans garantie aucune pour l'annonceur de l'efficacité de son message publicitaire.

L'enseignement principal qu'il est possible de retenir est que, structurellement et conjoncturellement, le pouvoir de marché des éditeurs (papier et Internet) s'est largement dégradé et que les annonceurs sont les *price-makers*. Les données que nous avons recensées confirment d'ailleurs que, dans le contexte de crise de 2009, les recettes publicitaires engendrées par visiteur sont très faibles : on peut les estimer à 2 euros pour Lexpress,

1 euro pour Nouvelobs, mais seulement 0,33 euro pour des *pure-players* comme Rue89 et Lepost (soit une recette inférieure de 50 % à celle sur laquelle le modèle économique de Frédéric Filloux a été construit). Si ces chiffres paraissent faibles, et ils le sont, certains éditeurs (comme le *Washington Post* et le *New York Times*) aux États-Unis réussissent à obtenir des tarifs significativement plus élevés (de l'ordre de 7 à 12 dollars).

L'abonnement ou le retour en force du freemium

La vente d'information sur le Web est une activité économique qui s'inscrit très largement dans la logique de l'offre et de la demande. Si un bien est rare, l'offreur n'aura alors pas de peine à le vendre, sous réserve qu'il réponde à une attente des consommateurs se traduisant par une disponibilité à payer non nulle. C'est effectivement ce qui est observé au niveau de certains sites de presse qui, jouissant d'une position monopolistique et offrant une information à forte valeur ajoutée, réussissent à engendrer des recettes de vente. Le modèle du payant a ainsi été adopté depuis de nombreuses années dans le cas de l'information économique et financière (exemples du *Wall Street Journal* aux États-Unis et des *Échos* en France). Le choix de ce modèle est renforcé de surcroît par le fait que l'utilisateur final n'est le plus souvent pas le payeur dans la mesure où les cadres bénéficient des abonnements souscrits par les entreprises dans lesquelles ils travaillent. La spécificité de l'information et l'effet de réputation de la marque papier font que le modèle du payant n'est évidemment pas transposable pour l'ensemble des sites de presse. Il convient cependant de noter que la vente de l'information est possible pour d'autres types d'information. Des revues comme *Que choisir* ont réussi à transposer sur le Web le modèle du payant. C'est la qualité de l'information et surtout son exclusivité qui assurent dans ce cas de figure la viabilité du modèle.

À l'opposé de ces modèles s'est très largement développée l'idée que le modèle du gratuit était une alternative pouvant s'appliquer à tous les autres types de sites de presse qui ne présentaient pas les caractéristiques leur permettant de vendre leurs informations. Il n'est nul besoin de détailler longuement le fait que l'information générale apparaît aujourd'hui pour les internautes comme étant abondante, disponible à tous... et par conséquent gratuite. La surabondance de l'offre restreint nécessairement la capacité des éditeurs à vendre une information qui est disponible gratuitement sur un autre site. La majorité des éditeurs qui ont opté pour le modèle du payant ont connu une désaffection si forte des internautes qu'ils ont rebroussé chemin et sont rapidement revenus au modèle de la gratuité (c'est le cas de l'*Irish Times*, cité par Attias [2006], qui a vu son audience chuter de 95 % à la suite de son passage intégral au payant). Celui-ci est alors devenu le modèle de référence, non pas simplement sur des bases négatives (liées à l'incapacité des sites à faire payer les informations proposées aux internautes), mais sur des bases objectives positives reposant sur la forte croissance des recettes publicitaires sur Internet. La part des dépenses publicitaires sur Internet connaît une forte augmentation : elle est passée aux États-Unis de 5,6 % en 2005 à 8,7 % en 2008. Lorsque l'on intègre les dépenses en *search marketing*, les dépenses sur Internet deviennent supérieures à celles de la presse, toujours aux États-Unis. Si la part de marché publicitaire de l'Internet est plus faible en France, la tendance de long terme ne fait pas de doute et devrait être observée dans la majorité des pays industrialisés. La prise en compte de cette évolution de long terme a même conduit Rupert Murdoch à envisager au cours de l'année 2008 d'abandonner le modèle du payant, pourtant rentable, du *Wall Street Journal*. Les anticipations de 2007-2008 étaient que les perspectives de profits des sites gratuits étaient très largement supérieures aux profits engendrés par les abonnements.

Mais la crise économique est venue rappeler les faiblesses intrinsèques du modèle de la gratuité. Dans ce modèle, les éditeurs dépendent, et c'est un truisme, des annonceurs. En situation de ralentissement économique ou, pire, en cas de récession, les annonceurs réduisent souvent de façon brutale leurs dépenses de communication. Depuis 2008, de nombreux quotidiens gratuits rédactionnels ont ainsi fait faillite à travers le monde. La crise a permis de montrer que les recettes publicitaires sur Internet pouvaient, elles aussi, diminuer. Pour des

Tableau 2. **Marché publicitaire des grands médias** (2009)

	Publicité	Évolution	PDM 2009	PDM 2005
Télévision	3 094	– 11 %	33	31,3
Cinéma	77	2 %	0,8	0,7
Radio	676	– 9 %	7,2	7,7
Internet	482	– 6 %	5,1	3,7
Presse	3 751	– 18 %	40	46
Publicité extérieure	1 290	– 11 %	13,8	10,5

Publicité : chiffres en millions d'euros ; Évolution : 2009/2008 ; PDM : part de marché (en %).

La publicité extérieure intègre ici les dépenses réalisées par les annonceurs dans les annuaires. Internet : correspond aux bannières et n'intègre pas les liens commerciaux. Le marché des grands médias a chuté de 12,5 %, ce qui correspond à la baisse la plus importante jamais observée depuis que les observatoires existent. L'année 2005 est placée comme point de repère : elle montre la hausse de la part de l'Internet, alors même que la mesure de la publicité sur Internet intégrait en 2005 les liens commerciaux. Avec ceux-ci, les dépenses sur Internet dépassent le milliard d'euros en 2009.

Source : IREP.

éditeurs habitués à un taux de croissance à deux chiffres, cette crise a joué le rôle d'un véritable électrochoc, d'autant plus que, à regarder de près, une partie des dépenses de communication sur Internet (les liens commerciaux) continuait à croître à un rythme important (9 % en 2009 dans le cas de la France). Or cette croissance des dépenses en *search marketing* ne bénéficie pas aux éditeurs. C'est sans doute une des raisons pour lesquelles Rupert Murdoch a annoncé qu'il abandonnait la stratégie de la gratuité. En 2010, le groupe News Corp a déclaré que les applications du *Times* avaient obtenu une audience payante de 200 000 abonnés, soit une baisse de plus de 90 % vis-à-vis du site gratuit, l'objectif n'étant plus celui du volume, mais de la rentabilité.

Le modèle hybride, du type de Lemonde, correspond à un modèle mêlant une partie gratuite et une partie payante. Dans la terminologie de l'Internet, on parle de modèle *freemium*. Il repose sur la logique d'une information gratuite (*free*) pouvant servir de produit d'appel pour des internautes qui désireront par la suite s'abonner (*premium*). Ce modèle n'est pas loin d'être en 2010 le modèle le plus cohérent pour des éditeurs qui se sont rendu compte du danger qu'il y avait à rechercher un équilibre économique uniquement à partir des recettes publicitaires. La concurrence existant sur le Web a pour conséquence des CPM qui, en moyenne, restent relativement faibles. La course à l'audience induite par le modèle de la gratuité fait qu'il est toujours nécessaire de croître plus que son concurrent pour espérer bénéficier de la traditionnelle prime au leader qui est observée dans les différents supports. À l'arrivée, rien ne garantit que le modèle économique sera pérenne.

C'est dans cette perspective que le modèle du *freemium* peut faire sens. L'exemple de Lemonde est intéressant à étudier. Le site a atteint son 100 000e abonné en février 2010 (le modèle du payant a été adopté dès 2003). Ses abonnés peuvent être décomposés en trois catégories : le groupe le plus important est celui des abonnés papier qui bénéficient d'un abonnement gratuit sur le Web (il est remarquable que seuls 46 % des 130 000 abonnés papier soient intéressés par l'application Web, ce qui peut soutenir l'hypothèse de complémentarité entre les deux supports, comme Gentzkow [2007] l'a montré dans le cas du *Washington Post*) ; le deuxième groupe correspond aux 30 000 abonnés au Web qui acquittent 6 euros par mois ; le troisième groupe est celui des abonnés *premium* (10 000 abonnés) qui, en contrepartie de 15 euros par mois, bénéficient d'un accès aux trente dernières éditions. Il est possible d'estimer qu'en année pleine les différentes formules d'abonnements au Web rapportent au site 4 millions d'euros.

Il est à noter que l'abonnement représente une part minoritaire des revenus des sites *freemium*. Dans le cas de Lemonde, la vente de contenus aux abonnés et à des agrégateurs de contenus (tels que Factiva) ne représente que 40 % des revenus. Le modèle de Lesechos est sensiblement identique avec des ventes représentant le même ordre de grandeur (les 14 000 abonnés apportant un peu moins de 30 %, le reste provenant de la syndication). Par conséquent, en 2010, force est de reconnaître que ce qui distingue pratiquement le modèle du *freemium* du modèle du gratuit est le degré de dépendance à la publicité. Dans le modèle de la gratuité, la part des recettes publicitaires s'élève à 85 % ou 90 % pour des sites comme Nouvelobs ou Lexpress. Elle peut même être quasiment exclusive, comme dans le cas de Liberation (avec 98 % des recettes).

Quelles autres sources de revenus ?

Les sites de presse ont, comme nous l'avons vu ci-dessus, la possibilité de vendre leurs contenus aux abonnés individuels ou aux agrégateurs de contenus. S'il existe théoriquement différentes possibilités permettant aux éditeurs de diversifier leurs recettes, il apparaît en revanche empiriquement que ces recettes sont pour le moins très faibles. Selon les cas, les sites réussissent à obtenir quelques recettes marginales *via* l'e-commerce (par la vente d'abonnements papier), la vente de fichiers e-mail (à des annonceurs désireux de contacter des prospects présentant des caractéristiques spécifiques), l'apport de trafic vers d'autres sites comme les sites de petites annonces...

Il n'en demeure pas moins que le véritable potentiel de développement des recettes n'a pour le moment pas été exploité. Il s'agit de la connaissance que l'éditeur a du comportement des internautes. Internet présente en effet une source d'information extraordinaire pour un éditeur : contrairement au cas du papier où il est nécessaire de réaliser des études sur un échantillon afin de comprendre les différentes manières dont un journal peut être lu, Internet permet de suivre à la trace le comportement des visiteurs. Les implications sont très fortes pour élaborer un modèle économique viable. La connaissance de l'internaute apporte à l'éditeur une connaissance rapide et directe des pages lues et non lues : quelles sont les informations lues ? Les internautes lisent-ils les commentaires de leurs pairs ? Sont-ils intéressés par la vidéo, par les services ? Combien de temps restent-ils sur une page ? Cette connaissance est de première importance pour fidéliser la demande. Sans cette connaissance, il est difficile de proposer de façon cohérente des zones payantes (dites *premium*) à des tarifs acceptables pour les internautes. Dans la quasi-totalité des modèles (gratuité ou *freemium*), la connaissance de l'internaute est sans doute encore plus cruciale pour des éditeurs qui dépendent beaucoup des annonceurs. S'il est indéniable que l'offre sur Internet est pléthorique en 2010, avec les incidences déjà évoquées sur le CPM, la connaissance de son public est, à n'en pas douter, une voie d'avenir pour tout éditeur cherchant à lutter contre les pressions déflationnistes agissant sur les tarifs publicitaires.

La seconde source potentielle de développement du chiffre d'affaires porte sur les *smartphones* et les tablettes. Ces supports présentent un avantage essentiel qui est lié à leur caractéristique première qu'est le nomadisme. Les éditeurs suivent avec attention ces marchés qui sont portés par des utilisateurs technophiles intéressés, entre autres choses, par l'information. Il est certain que les outils de géolocalisation, intrinsèquement liés à ces supports, devraient pouvoir être générateurs de revenus dans le futur. Dans le cas du modèle théorique du *pure-player*, si l'on suppose un taux de conversion plausible de 20 % des internautes qui vont télécharger une application sur leurs *smartphones*, il faudrait alors, pour équilibrer le modèle, obtenir une recette nette de 13 euros par utilisateur sur l'ensemble de l'année. La recherche de l'équilibre économique repose donc en définitive sur la disponibilité à payer des utilisateurs de *smartphones*. Si les moyens par lesquels les éditeurs auront la possibilité de lever ces recettes sont encore en phase de construction, ils représentent un potentiel qui ne saurait être négligé.

Des modèles à rentabilité variable

En 2010, les modèles économiques des sites de presse ne semblent pas pérennes. S'il est difficile d'obtenir des données pour l'ensemble des sites (dans la mesure où les éléments propres à un site sont souvent intégrés dans les chiffres d'une entreprise ayant des activités multiples), le tableau 3 permet d'avoir un panorama des modèles d'affaires de différents types de sites.

Le Monde Interactif, fort de l'expérience du groupe Le Monde qui a investi très tôt sur le Web, affiche un résultat opérationnel élevé avec une marge brute supérieure à 30 %. *A contrario*, un

Tableau 3. **Chiffres d'affaires et rentabilité de quelques sites**

	CA 2008	CA 2007	EBE/CA 2008	EBE/CA 2007	Rés. net/CA 2008	Rés. net/CA 2007
Le Monde Interactif	17 840	15 220	34,70 %	36,80 %	3,00 %	6,00 %
Rue 89	624		– 92,80 %		– 85,50 %	
Aufeminin	24 721	22 523	38,40 %	26,10 %	58,00 %	39,00 %
Ouest-France Multimédia	11 170	9 330	29,90 %	31,90 %	6,10 %	37,90 %
Leboncoin	5 700	65	12,30 %	– 465,70 %	– 11,60 %	– 521,80 %

CA : chiffre d'affaires en milliers d'euros ; EBE/CA : excédent brut d'exploitation/chiffres d'affaires en % ; Rés. net/CA : résultat net/chiffre d'affaires en %.

pure-player comme Rue89 est toujours dans sa phase de lancement où le seuil de rentabilité n'est pas atteint. La principale interrogation qui demeure concernant Lemonde est de savoir si le support serait économiquement aussi rentable si le site ne bénéficiait pas de l'assise rédactionnelle du quotidien papier.

À la lecture de ce tableau, plusieurs constats peuvent être faits. La rentabilité des sites de presse d'information généraliste n'est pas assurée. Il semble, dans le cas du site adossé à un titre de presse, que la rentabilité est très largement artificielle dans la mesure où le site ne supporte pas l'intégralité des coûts qu'il devrait supporter sans l'adossement. Les *pure-players* n'ont toujours pas trouvé leur modèle économique. Leur survie paraît clairement liée à leur capacité à lever des fonds supplémentaires pour assurer leur développement. Nicholas Lemann, le doyen de l'école de journalisme de Columbia, dresse le même constat aux États-Unis en soulignant la difficulté pour les sites généralistes de viabiliser leur modèle économique. En revanche, les autres sites (sites de petites annonces, sites spécialisés comme Aufeminin) dégagent une rentabilité très élevée que ne pourront jamais atteindre les sites d'information généralistes. C'est de ce niveau que découle une implication stratégique : le développement et la survie des sites généralistes rendent nécessaire la maîtrise par les éditeurs d'autres sites plus rentables dans la logique des subventions croisées. La question cruciale est alors de savoir si ces sites généralistes ont les moyens financiers de créer ou, ce qui apparaît être le cas dans les faits, de racheter des sites à forte marge.

VI / Les principaux acteurs de la presse en ligne

La presse en ligne en tant que média producteur d'information se situe à la rencontre d'un ensemble d'acteurs — des agences aux internautes eux-mêmes — dont les rapports et les stratégies surdéterminent profondément ses contenus, ses modèles économiques et les organisations actuelles et futures de ses entreprises. C'est ainsi qu'en amont de la presse en ligne proprement dite, constituée d'éditeurs d'information d'actualité, figurent tout un ensemble de portails, liés ou non à des fournisseurs d'accès, ainsi que des agrégateurs. Ceux que Franck Rebillard et Nikos Smyrnaios [*Réseaux*, 2010 ; *Communication & langages*, 2009] qualifient d'infomédiaires. Les uns et les autres recourent substantiellement aux fils des trois grandes agences internationales. Les éditeurs de presse en ligne ne sont pas, non plus, les seuls producteurs de contenus sur l'actualité, puisque des journalistes professionnels s'appuyant sur l'opportunité des blogs ont pu créer leurs propres sites, forts de leur notoriété ou de leur expertise reconnue. En dehors de la sphère « professionnelle » ou dans des conditions de professionnalisme journalistique différentes, des sites contributifs prétendent également traiter le domaine de l'information générale. Dans les faits, ces différents acteurs interviennent dans des rapports d'interrelations fortes, alors même qu'ils peuvent connaître des évolutions qui les rapprochent ou au contraire durcissent les contrastes et points de concurrence, au gré des transformations de l'Internet.

Portails et agrégateurs

Placer les portails et agrégateurs en tête des acteurs de la presse en ligne peut paraître paradoxal. Il s'agit là de marquer la place qu'occupent aujourd'hui ceux-ci, directement au contact des utilisateurs, forme de point d'accès et lieu d'aiguillage tout à fait décisif, dont le rôle n'a cessé de s'accentuer au fil des années. Le poids et le rôle de l'un d'entre eux, Google, symbolisent et dominent cette situation. Fournisseurs d'accès, portails et agrégateurs jouent trois rôles différents, qui se trouvent en fait combinés par quelques acteurs, groupes industriels et de services, qu'ils soient issus de l'univers des télécommunications (Orange) ou de l'informatique (Yahoo !, AOL, Google, etc.).

Les portails constituent les points d'accès des internautes aux différents contenus et services. La notion de portail, lorsqu'elle apparaît en 1998 en Amérique du Nord, relève essentiellement de l'activité d'éditeurs qui entendent couvrir un large éventail d'informations et d'activités, qu'ils les produisent eux-mêmes ou que celles-ci soient proposées par des partenaires. Au fil des années, la fonction évolue pour relever, à partir de 2004, principalement des fournisseurs d'accès (FAI). Orange et Yahoo ! par exemple concentrent aujourd'hui, en France, sur leurs portails, la troisième et la cinquième audience en volume. Ces portails fournissent eux-mêmes des services qui leur sont propres, y compris en matière d'information, pour lesquels ils sont généralement partenaires et clients de l'une des trois grandes agences d'information internationale. AOL employait ainsi aux États-Unis, fin 2009, quelque 500 journalistes salariés et pas moins 3 500 pigistes, alors que le portail proposait une « galaxie » de quelque 80 sites qui lui sont propres.

Les agrégateurs, quant à eux, ont vocation à traiter les questions (« requêtes ») des internautes à la recherche d'un renseignement, d'une information ou d'un service. Grâce à leurs moteurs de recherche, ils signalent à l'utilisateur les différents sites qui proposent les informations et services recherchés par celui-ci, tout en lui permettant une connexion directe avec la partie ou fonctionnalité du site concerné. Les agrégateurs nourrissent leur activité d'une coopération avec les fournisseurs de contenus, dont les éditeurs de presse en ligne, auxquels ils n'acquittent aucune rémunération pour cela.

Par les audiences qu'ils peuvent apporter aux sites d'information, portails et agrégateurs sont devenus des partenaires incontournables. Aux Etats-Unis, depuis 2007, les pages d'accueil des sites de presse en ligne ne sont plus le mode d'accès principal à ceux-ci. En France, en 2009, Google, à lui tout seul, apporte 30 % de l'audience de sites comme Lemonde ou Lefigaro. Dans le cas de Lexpress, ce chiffre dépasserait les 50 %. Au Royaume-Uni, pour le *Guardian*, Google apporte 25 % des contacts, la place de Google News, proprement dit, étant limitée puisque ne représentant que 2 %. C'est dire que le mode de référencement (qui classe en plus ou moins bonne place un site pour une information donnée) va influencer directement l'approche éditoriale des sites de presse qui sont engagés dans la compétition pour les meilleures places en matière d'audience. Il est donc important pour les éditeurs de connaître les critères que prend en compte l'algorithme de référencement et d'adopter un mode de traitement qui offre la perspective d'être bien situé sur Google et Google News. Ces critères sont de deux types. Les premiers concernent l'éditeur (reconnaissance en tant que média par les pairs, audience, taille de la rédaction, nombre de bureaux à l'étranger, etc.). Les seconds portent sur la production, prenant en compte le nombre d'articles produits, la taille de ceux-ci, l'importance des sujets évalués à partir du nombre d'articles produits à son propos, la rapidité de traitement après l'événement, l'éventail des sujets traités [Rebillard, 2009]. Soit une double pression à travailler à flux tendu, avec un souci de veille, en prise directe avec les agences, et de couverture généraliste de l'actualité. La quantité, la rapidité et la diversité des sujets d'articles traités ne permettent qu'un traitement quasiment instantané et superficiel, d'où la question cruciale et la place du desk dans l'organisation des rédactions.

La question de l'accès tend donc à devenir essentielle et structurante sur le Web, au point qu'il est possible de parler comme Rebillard et Smyrnaios [*Réseaux*, 2010] de deux filières d'accès à l'information d'actualité, celle des éditeurs de presse en ligne et celle des « infomédiaires ». Le poids que représente cette dernière est d'autant plus crucial qu'il y a concurrence sur le marché publicitaire pour les bannières, les liens sponsorisés, etc. entre les acteurs des deux filières, aux dépens des éditeurs de presse en ligne. Il est peu probable que cette situation s'inverse tant le déséquilibre apparaît criant entre éditeurs et agrégateurs ou portails, qu'il s'agisse de la compétence technique, de la capacité d'innovation, servie par des investissements en R&D très substantiels (près de 3 milliards de dollars pour Google en 2008), ou du poids économique d'entreprises comme Orange, avec plus de 50 milliards d'euros de chiffre d'affaires pour plus de 4 milliards de résultats, ou encore comme Google avec plus de 20 milliards de dollars, Yahoo ! avec 6,4 milliards.

La question de la concurrence sur le marché publicitaire est d'autant plus sensible que Google, contrairement aux portails, entendait disposer des contenus des sites d'information sans prendre en compte le point de vue et la position de ceux-ci en matière de droits d'auteur, qu'il s'agisse du droit moral (condition d'emprunt et de reprise d'un contenu, citation du nom de l'auteur) ou du droit patrimonial (rémunération des détenteurs des droits d'auteur). Google entendait se référer à une pratique de l'Internet fondée sur la gratuité de l'information. De nombreux conflits sont survenus au moins en Europe, avec des procès en Belgique, engagés par la presse en 2003 et 2004, ainsi qu'avec l'Agence France-Presse. Des compromis ont finalement été adoptés avec la direction du groupe très centralisé [Rebillard et Smyrnaios, *in Réseaux*, 2010]. Cela n'empêche cependant pas le retour de tensions, comme à l'automne 2009, voyant Rupert Murdoch dénoncer l'attitude de « coucou » de Google, pour retirer les titres de News Corp du référencement de l'agrégateur, avant d'engager un partenariat rémunéré avec Microsoft et son propre agrégateur, Bing.

Faut-il envisager l'entrée en lice d'une nouvelle forme d'« infomédiaires » sous les traits des réseaux sociaux ? Toujours est-il que, en 2010, Facebook s'est progressivement imposé comme l'un des modes d'accès aux sites de presse en ligne au travers des « groupes de fans ». Lefigaro, par exemple, signalait que, avec un groupe de 10 000 fans, ce mode d'entrée dans ses différents contenus était devenu supérieur par exemple au principal flux RSS du site. L'institut Hitwise situait Facebook autour de 1 % des modes d'accès aux sites d'information et de média, avec une progression constante. Au regard de la place qu'occupent ces réseaux sociaux dans la pratique des jeunes internautes, une telle évolution, dont il est encore difficile d'évaluer complètement la portée, conforte en tout cas le modèle selon lequel l'accès aux contenus de la presse en ligne dépend toujours plus de cette catégorie d'acteurs intermédiaires entre le public et l'éditeur.

Agences d'information

Par l'importance qu'a prise l'information « chaude », traitée dans des délais très brefs et sous une forme concise, sur Internet, les agences, et principalement les trois grandes agences d'information internationale, l'Agence France-Presse (AFP), Associated Press (AP) et Reuters, occupent une place tout à fait cruciale [Tessier, 2007]. Non seulement elles sont pourvoyeuses des nouvelles qui nourrissent les fils d'actualité en continu et autres flashs, mais ce sont leurs dépêches qui sont retraitées par les desks des sites de presse en ligne, alors que leurs photos et infographies constituent la base des illustrations proposées. En même temps, comme cela est apparu à propos des portails et des agrégateurs, les agences sont des fournisseurs privilégiés de certains portails. Yahoo ! est par exemple abonné aux trois agences internationales. Orange se contente de la seule AFP, quand AOL s'appuie sur Reuters et l'AFP et Free sur AP et Reuters. *A priori*, la diffusion de l'Internet pouvait permettre aux agences d'accéder directement au public. Certaines se montrèrent tentées en créant de nouveaux services. Des commentateurs en firent le pronostic. Cela ne va pas sans poser la question que le chiffre d'affaires de ces coûteuses structures éditoriales repose sur des clients médias, dans leur majorité, qui résistent à l'idée de cette concurrence de leur fournisseur, « grossiste en information ».

Pour les agences, l'entrée sur l'Internet n'est pas sans effet sur leur manière de travailler, leur contenu [Lagneau, 2010], ainsi que leur modèle économique. Concernant les conditions de production de l'information, l'Internet vient en quelque sorte radicaliser des tendances déjà à l'œuvre, notamment avec l'apparition des médias d'information en continu. Il s'agit en premier lieu de l'accélération dans le traitement des nouvelles afin de proposer un traitement quasiment en « temps réel » des événements. Cela entraîne inévitablement des procédures de vérification modifiées et allégées, telles que la récente possibilité de « sourcer » une information par citation d'un média crédible (Reuters). Une deuxième tendance tient à l'intensification et l'élargissement de la concurrence. Entre les grandes agences, la question du référencement accentue la compétition, quasiment la course, pour être le premier à sortir la dépêche concernant chaque nouvelle importante ou intéressante pour les médias clients. L'élargissement a d'abord concerné des médias d'information en continu pouvant doubler les agences par leurs propres moyens rédactionnels, sur le modèle de CNN développant une activité d'agence internationale en matière d'images télévisées d'actualité. Avec l'Internet, c'est une véritable explosion de sites d'information de toutes sortes qui doivent être pris en compte, allant du plus institutionnel au blog de spécialiste ou d'acteurs de l'actualité (partis, hommes politiques, etc.), comme l'a illustré avec force la campagne de Barack Obama en 2008. Désormais, chacune des agences doit opérer une véritable veille des différents producteurs d'information potentiels. Cela ne va pas sans amplifier la proportion des journalistes qui ne sortent plus des locaux de la rédaction. Il s'agirait de la moitié des 800 journalistes du siège parisien de l'AFP. Le renforcement de la compétition exige également une plus grande attention aux demandes exprimées par les clients médias et notamment les sites d'information. Ces derniers sont très preneurs d'informations plus distractives, telles que les nouvelles « insolites » ou *people* dans les terminologies des agences. Or celles-ci n'occupaient jusque-là qu'une place marginale dans la production de rédactions surtout reconnues dans les registres politique, diplomatique, économique, puis progressivement sportif [Lagneau, 2010].

La troisième tendance dans le mode de traitement de l'information fait un lien direct avec les transformations en matière de contenu, puisqu'il s'agit d'un phénomène de standardisation. Pour aller vite, y compris dans la traduction des dépêches, il faut désormais écrire court, toujours plus simplement et explicitement. C'est par exemple, comme le souligne Éric Lagneau, l'introduction d'un nouveau format — celui de l'« alerte » — par l'AFP en février 2009. Celui-ci, qui vient s'intercaler entre le « flash » et l'« urgent », doit tenir en 80 caractères maximum, là où l'urgent comprend un titre et tient entre 40 et 60 mots. Au-delà de l'accélération, un tel format convient particulièrement aux rubriques de flash d'actualité, voire aux bandeaux défilant des sites de presse en ligne comme des services de nouvelles des portails. Le reproche d'une certaine banalisation entre les contenus des agences, et ce faisant de leurs clients médias, tend à s'effacer lorsque l'enjeu est de pouvoir mettre en ligne le premier une information répondant aux principaux critères de référencement des agrégateurs.

La question du modèle économique des agences internationales face à l'Internet est paradoxale, avec l'amplification d'une contradiction à l'œuvre depuis les années 1980 : alors que se renforcent le rôle et la place des agences dans un paysage médiatique toujours plus atomisé, où chacun ne peut produire par lui-même une information dont l'éventail des thèmes s'élargit sans cesse, les clients médias sont de moins en moins capables de payer les coûts réels de ces très lourdes machines à collecter les nouvelles. Il faut dire que les agences internationales sont de très grosses structures dont les coûts élevés tiennent à leurs effectifs importants (2 000 journalistes et techniciens pour l'AFP) comme à l'entretien de leurs réseaux sur le terrain, comprenant bureaux et systèmes techniques sophistiqués (l'AFP dispose de 188 bureaux à l'étranger dépendant de cinq « centres régionaux » : Paris, Washington, Montevideo, Hong Kong, Nicosie). Pour tenir leur place face à la concurrence, elles doivent investir tous azimuts. Sur le plan technique, ce sont de nouveaux systèmes permettant d'intégrer complètement les contenus numériques. Du point de vue des effectifs et des structures rédactionnelles, il faut donner formation, lieux et outils nécessaires aux services multimédias. En matière d'offre rédactionnelle, il faut faire évoluer sans cesse domaines traités et formats en fonction des attentes des nouveaux clients, sites d'information et portails [Tessier, 2007].

Cependant, jamais la question des recettes correspondant à ces nouveaux débouchés n'a été aussi difficile à anticiper. Fragilisés par un public qui rechigne à payer l'information, les médias grand public font pression pour obtenir des baisses de tarifs de leurs grossistes en information. Des quotidiens se désabonnent d'une de leurs agences, voire de leur seule agence, prétendant pouvoir trouver sur Internet l'information factuelle dont ils ont besoin, même si cette information émane à l'origine des agences. Des acteurs du réseau n'hésitent pas à proposer des services d'information, issues des agences, sans les rémunérer d'aucune sorte, contraignant celles-ci à la plus grande vigilance et parfois à l'engagement de poursuites judiciaires, comme ce fut le cas entre l'AFP et Google, et comme AP menace de le faire systématiquement depuis 2009. En décembre 2009, une étude américaine évaluait à 250 millions de dollars les pertes, liées au vol de contenu, supportées par les trois grandes agences... mais aussi par les éditeurs de presse. L'étude souligne en effet qu'un article d'un quotidien renommé peut être réutilisé une quinzaine de fois ! Nul ne peut dire exactement comment seront trouvées les recettes dont ont besoin les agences pour continuer à jouer leur rôle essentiel dans l'information proposée sur le Web. D'aucuns n'hésitent d'ailleurs pas à se tourner vers les États, invoquant une forme de « service public de l'information », une notion bien étrangère aux représentations et stratégies des principaux acteurs de l'Internet.

Quotidiens

La presse quotidienne a très tôt considéré qu'elle devait prendre une place privilégiée en tant qu'acteur de l'information d'actualité sur Internet. Le phénomène se produit d'ailleurs à peu près partout de par le monde, même si les États-Unis, l'Europe du Nord et une partie de l'Asie (Japon et Corée du Sud) sont plus précoces [Tessier, 2007]. Deux facteurs ont conduit à cette réactivité. En premier lieu, la presse quotidienne a expérimenté ou développé des applications d'informations numérisées sur différents réseaux disponibles depuis les années 1980 (Minitel, Prestel, etc.). Internet se présentait alors comme une opportunité nouvelle, plus riche, de développer cette diversification sur un axe « texte/informatique » [Charon, 1991], même s'il avait l'inconvénient de n'apporter aucune solution de rémunération de l'information. En second lieu, la presse nord-américaine s'est très tôt inquiétée de l'avenir des petites annonces, face à un support qui offrait des possibilités de migration très attractives [de Tarlé, 2006]. Plutôt que d'attendre l'arrivée de concurrents, d'autres secteurs, voire l'émergence de *pure-players*, il semblait urgent aux entreprises et groupes de presse quotidienne d'anticiper cette évolution en créant eux-mêmes leurs sites d'annonces. Dans les pays scandinaves, les éditeurs ont opéré une évolution comparable, à la manière de Schibsted qui occupe une place très significative en matière de sites *classified*, à l'échelle internationale (Filloux).

L'éclatement de la bulle Internet a bousculé les stratégies des éditeurs de quotidiens dont la plupart avaient fait le choix d'un développement éditorial sur le Web parallèle à l'imprimé, avec la création de rédactions « dédiées » souvent nombreuses. La tendance à installer les équipes journalistiques, techniques, commerciales dans des filiales multimédias dont il était attendu une forte profitabilité a alors été arrêtée, chacun réintégrant ces structures à l'intérieur des entreprises éditrices des titres imprimés. À partir du milieu de la décennie 2000, alors que fleurit la notion de Web 2.0, un nouveau contexte se fait jour dans lequel la situation des quotidiens se dégrade significativement, au moins dans les pays industrialisés [Poulet, 2009], même s'ils continuent à se développer dans les pays en plein rattrapage tels que l'Inde ou la Chine [Wan, 2010]. Les États-Unis sont particulièrement touchés, connaissant des reculs substantiels de diffusion, en même temps que les ressources de la publicité commerciale fléchissent, voire s'effondrent avec l'éclatement de la crise financière puis économique de 2008. Durant le second semestre 2008, puis les deux semestres 2009, la diffusion des quotidiens américains recule de 6,4 %, puis de 7,1 % et enfin de 10,6 %. Même si les phénomènes sont moins prononcés en Europe (– 5,1 % pour les quotidiens nationaux français au premier trimestre 2009) ou en Asie, partout les éditeurs s'interrogent sur l'avenir du quotidien imprimé et son articulation avec la presse en ligne. Deux options paraissent ouvertes : dans la première, il est question d'une complémentarité à trouver et développer entre le quotidien papier et sa version en ligne ; dans la seconde, une substitution partielle ou complète est envisagée de l'imprimé par le numérique. L'exemple vient de haut, puisque Rupert Murdoch lui-même en 2008 parle de la « mort du papier ». Dans tous les cas, l'avenir des quotidiens passe par leur développement dans la presse en ligne. La majorité optent pour une complémentarité qu'illustre le thème du bimédia ou les notions de plates-formes intégrées. Quelques titres s'engagent dans la substitution partielle (par une diminution de jours de publication par semaine, par exemple pour *La Tribune*) ou complète (*Christian Science Monitor* de Boston), dans un contexte économique très contraint incitant les éditeurs à une meilleure maîtrise de leurs coûts (impression et distribution).

Dans toutes les catégories de quotidiens et dans nombre de pays, pratiquement chaque titre propose désormais au moins un site de presse en ligne [Tessier, 2007], parfois plusieurs, plus ou moins spécialisés, certains étant consacrés aux services, à la fourniture de petites annonces, à commencer par l'immobilier et l'emploi. Des titres déploient plusieurs lignes éditoriales complémentaires (Lemonde et Lepost, le WashingtonPost et Slate, Lefigaro et Sport24, etc.). Nationaux, régionaux, purement locaux, généralistes, d'opinions, spécialisés dans le sport ou l'économie, gratuits, tous n'ont cependant pas la même urgence ou les mêmes opportunités pour développer des approches éditoriales ambitieuses, originales sur le Web. L'existence d'importants portefeuilles d'abonnés (*Wall Street Journal*, *New York Times*, *Les Échos* ou *Le Monde*) permet d'envisager des formules d'abonnements couplés imprimé/Web. La forte notoriété de titres de référence à diffusion significative favorise les développements ambitieux sur le Web comme sur les supports mobiles (*Asahi*

Shimbun, Guardian, La Repubblica, Le Figaro, etc.). Le caractère stratégique d'informations destinées à un public de décideurs économiques ou d'intervenants sur le marché financier constitue une opportunité unique pour développer des stratégies d'abonnements telles qu'en proposent le *Wall Street Journal* (Dow Jones), la *Frankfurter Allgemeine Zeitung*, le *Financial Times* ou le *Nihon Keizai Shimbun* (Nikkei). Les titres locaux et régionaux ont très tôt compris l'enjeu de proposer des contenus et services spécifiques de proximité, y compris contributifs et communautaires (*Midi libre*). La taille des titres et des groupes, les contextes locaux leur offrent plus ou moins de moyens de réaliser ces ambitions, comme l'illustre la situation en France de titres comme *Ouest-France* ou *Le Télégramme*. Certains contenus spécialisés sont plus ou moins coûteux à transposer sur le Web, avec des opportunités de profitabilité, comme c'est le cas pour les quotidiens sportifs (*L'Équipe*). La situation des quotidiens d'opinion, aux faibles ressources publicitaires et aux publics limités, est plus compliquée. Leur avenir sur le Web repose certainement sur leur capacité à installer la pratique de l'abonnement, éventuellement complété d'une part de *crowdfunding*.

Magazines

Dans leur extrême diversité, les magazines ont adopté une attitude beaucoup plus diversifiée à l'égard du Web et de la notion de presse en ligne. Certains d'entre eux, à l'image des *news magazines* français (*Le Nouvel Observateur, L'Express*) ou de titres de la presse économique anglo-saxonne (*BusinessWeek, The Economist...*), s'engagent très tôt sur le Web, trouvant dans ce support rapide et très réactif une dimension qui pouvait leur manquer au regard des médias quotidiens ou diffusés. À l'inverse, de très nombreux mensuels aux structures inadaptées retardent la création d'applications ou les limitent à des sites vitrines, au contenu modeste et faiblement actualisé [Tessier, 2007]. Avec le temps, surtout à partir des années 2000-2005, l'absence totale de site devient plus rare, sans que, pour autant, l'investissement significatif des titres ne s'engage réellement sur le Web. Aux yeux des éditeurs, la nature même du contrat de lecture des magazines spécialisés grand public se trouve trop éloignée des pratiques des internautes. Les lecteurs, comme les annonceurs, peuvent faire clairement la différence entre ces formes d'information et la satisfaction qu'ils en tirent pour les faire cohabiter sans que l'une nuise à l'autre. Dans les plus grands groupes de communication, développant une forte activité magazine (Time Warner, Bertelsmann, Lagardère, etc.), l'incitation est d'autant plus faible qu'ils s'engagent dans des activités de fournisseur d'accès, de portails, sinon de création ou rachats de *pure-players*, sans prendre le risque de déstabiliser leur secteur imprimé dont la profitabilité reste intacte.

La fin de la décennie 2010 change la donne avec une détérioration sensible des parts de marché publicitaire des magazines, alors que certains d'entre eux, selon leur contenu, peuvent se trouver sensiblement attaqués par des sites d'information ou des *pure-players*. Pour la France, le cas des hebdomadaires de télévision est assez exemplaire, s'agissant d'une famille de titres occupant la place de leader aussi bien pour les ventes que les audiences. Chaque magazine et éditeur se trouve confronté à des questions de choix quant aux options qui s'ouvrent sur Internet. Les magazines d'actualité sont très engagés dans des formes de sites d'information généraliste, souvent au coude à coude avec les quotidiens pour la course au leadership en audience. En Allemagne, les sites du *Spiegel* et de *Stern* devancent ceux des quotidiens. Les magazines économiques sont également très présents, travaillant la complémentarité information/service entre l'imprimé et le Web. Les magazines à forte identité, tels que les féminins, se concentrent sur les registres rédactionnels, contributifs et de services qui s'articulent le mieux à leur contenu imprimé, ainsi qu'à la forme des relations entretenues avec leur lectorat sur des registres qui peuvent être affectifs, émotionnels, esthétiques, etc. selon les caractéristiques de chacun. Au tournant des années 2010, il s'agit plus de recherche et d'expérimentation que de modèles éditoriaux réellement aboutis. Pour les magazines très spécialisés ou de niches, les choix se font au cas par cas, selon le domaine couvert, le type de contenu rédactionnel traité, les caractéristiques du lectorat. Des transferts complets sur le Net peuvent se produire, comme pour les magazines ados (« teen ») de Time Warner (*Teen People*) ou de Lagardère (*Elle-Girl*) aux États-Unis. Des *pure-players* peuvent reprendre l'auréole d'un titre imprimé sans lien direct avec le contenu imprimé. Des redéfinitions de rôles très radicaux peuvent s'opérer entre un imprimé très rédactionnel, très enrichi dans la forme et un ou des sites essentiellement consacrés au service.

La question des structures éditrices n'est pas neutre pour les magazines selon qu'il s'agit de groupes de communication plurimédia internationaux, d'éditeurs de taille moyenne monoproduit ou à éventail d'activité réduit, ou de titres indépendants. Pour ces deux dernières catégories, leur rapport à l'actualité, le fait de mixer magazines et quotidiens (Roularta, Ringier, Bayard Presse) les conduisent plutôt à rechercher les meilleures articulations possibles entre leurs magazines imprimés et la presse en ligne. Le fait que *L'Express, Le Nouvel Observateur, L'Expansion* et *Challenges* se retrouvent dans de tels groupes n'est sans doute pas pour rien dans le dynamisme qu'ils ont pu déployer très tôt au travers de leurs sites Internet. Dans certains cas, cela a pu conduire à des erreurs, telles que la création de Bayard Web, forme de portail donnant accès aux différents sites des titres du groupe.

Radios et télévisions

Les radios comme les télévisions ont réagi dans l'ensemble moins vite à l'arrivée de l'Internet. Il est vrai qu'à bas débit les applications Web qui s'offrent alors à elles se limitent essentiellement à du texte et de l'image fixe, d'où l'obligation de recourir à des équipes dédiées pour développer un contenu informatif, éloigné des points forts de leur programmation (musique, jeux, divertissement, fiction). Cela n'empêche pas certaines d'entre elles, tout particulièrement en Amérique du Nord, de s'engager au moins à la fin de la décennie 1990 dans ce qui apparaît comme une voie de diversification prometteuse du point de vue de la rentabilité. Ici intervient un décalage sensible avec la situation européenne où les entreprises qui ont accédé à l'audiovisuel commercial dans les années 1980, en même temps qu'elles s'engagent sur le câble, le satellite, puis la diffusion numérique, sont en pleine expansion dégageant des marges conséquentes. En Amérique du Nord, en revanche, un développement plus précoce conduit déjà au déclin des *networks*, alors que le secteur ne cesse de se segmenter et se fragmenter en termes d'audience et de sources de revenus. L'éclatement de la bulle Internet fait retomber partout cet intérêt plus modéré que pour la presse écrite. Au même moment, pourtant, interviennent l'arrivée, puis le développement progressif de débits plus élevés à une échelle sans cesse plus large dans le grand public, autorisant désormais un téléchargement aisé du son comme de l'image, voire progressivement la diffusion des programmes en *streaming*.

De fait, alors que se détériorent lentement les positions des médias audiovisuels, chacun est désormais convaincu qu'il doit arrêter une stratégie sur Internet. En Amérique du Nord, comme dans nombre de pays européens, dont la France, les sites des grandes chaînes de télévision occupent des positions enviables en termes d'audience. Aux États-Unis [Smyrnaios, *in Cahiers du journalisme*, 2009], le site de CNN figure parmi le peloton de tête des quatre leaders. CBS Interactive doit successivement racheter plates-formes musicales (Last) et groupes d'information en ligne (CENT Network qui décline tout un éventail de sites spécialisés sur la technologie, la finance, les jeux vidéo, la télévision). En France, le groupe TF1 est le mieux placé parmi les groupes de communication sur le Web. Suivent Vivendi Universal, puis M6 et France Télévisions. Le site même TF1-Wat réalise une audience de plus de 10 millions de visiteurs uniques... Mais il ne s'agit pas là des audiences de leurs sites d'information, puisque celles-ci recouvrent le téléchargement de programmes ou la diffusion de certains de ceux-ci en *streaming*. TF1, par exemple, insère son activité TF1 News (commune à Lci.fr) dans tout un éventail de services et propositions d'accès à des programmes sans lien avec l'information. Le groupe lui-même a filialisé ses activités Web dans e-TF1 qui regroupe, outre le site portail Tf1.fr, le site Lci.fr, un site de partage de vidéos (Wat.tv), le site de la chaîne sportive Eurosport, un site de vente de VOD (Tf1Vision), un site d'e-commerce (Teleshopping.fr), ainsi qu'une participation dans la plate-forme de blog « Over-Blog ». De la même manière, la diffusion sur Internet de Web TV ou Web radios, fussent-elles d'information, ne relève pas non plus d'une activité de presse en ligne, mais plutôt d'un appui sur le Net pour continuer de diversifier l'offre de radio et de télévision sans transformer les fondamentaux de deux médias.

Groupes de communication

Les groupes de communication mondialisés, dont les activités intègrent médias, édition de produits culturels et services [Charon, 2008], pouvaient prétendre *a priori* jouer des rôles diversifiés dans le domaine de l'Internet, qu'il s'agisse des portails, des moteurs de recherche, voire de la fourniture d'accès. Non que leurs compétences techniques ou le contenu qu'ils traitent en presse magazine, radio ou télévision les prédestinaient à mieux comprendre que d'autres les développements du nouveau support. En revanche, ils disposaient des capacités d'investissement nécessaires, d'une expérience de la relation au public et surtout de structures souples, offrant une large autonomie à chaque métier. Et c'est effectivement ce qui s'est produit pour les plus grands, à la manière de Time Warner, qui a fusionné avec AOL, de Bertelsmann et Vivendi, qui ont développé AOL Europe, ou encore de Lagardère et le fournisseur d'accès Club Internet. Dans leur logique et modèle d'organisation qui les a conduit à développer parallèlement et simultanément différents médias et activités d'édition dans des filiales autonomes, il s'agissait d'abord de profiter de l'émergence d'un nouveau média et de son potentiel de croissance. Les activités de contenu, magazines ou radios et télévisions, alors très rentables, étaient donc peu concernées. Chacun s'est contenté au mieux de quelques sites vitrines. Tout s'est pourtant conjugué pour contrarier cette stratégie, chacun se trouvant contraint à l'abandon de ces rôles initiaux.

Tout a été à recommencer et l'a parfois été plusieurs fois, que ce soit chez Time Warner, chez Bertelsmann et ses différentes filiales françaises (RTL, M6 et Prisma Presse), chez Mondadori-Médiaset, chez Lagardère, etc. Désormais, il s'agit d'accompagner chacun de leurs médias traditionnels sur le Web en évaluant les meilleures opportunités, en évitant tout risque de cannibalisation avec des activités qui restent rentables, même si elles souffrent de moindres perspectives de développement. Chez Time Warner, c'est le développement de CNN ou des magazines phares du groupe (*Time*, *Fortune*, etc.). Mondadori met en place un outil de développement d'application Internet au service de chacun des titres. Lagardère construit un socle de compétence à partir de rachats de *pure-players* (Thotnet, NewsWeb et Doctissimo). Ceux-ci ont vocation à appuyer les diversifications Internet tant des radios (Europe 1) que des magazines, sachant que, pour ces derniers, des marques phares sont privilégiées (*Première* pour le film, la musique, la télévision, le *people* ; *Psychologie* pour le communautaire et le contributif ; et bien sûr *Elle* pour le féminin, sans compter le lancement 2010 de *Be*, immédiatement décliné sur le Web, le mobile et l'imprimé). Paradoxalement alors qu'ils étaient partis tôt, avec des moyens importants et sans leurs ressources éditoriales, les groupes de communication doivent aujourd'hui ramener vers eux, parfois à des coûts élevés, des *pure-players* et des professionnels ayant fait leurs preuves chez ces derniers, voire dans les services en ligne de la presse quotidienne. Les erreurs ne sont plus permises face à la compétitivité de nombre de *pure-players* et surtout la fragilisation de plusieurs familles de magazines (hebdomadaires de télévision, certains pôles d'intérêt, etc.). Le pari est d'ampleur au regard du bilan de Lagardère Active au début 2010 : si ses différents sites totalisent 15 millions de visiteurs uniques, la moitié sont engendrés par Doctissimo (7,6 millions), là où Elle attire en proportion 1,6 million. Quant au chiffre d'affaires, l'objectif fixé pour 2008 de se rapprocher des 8 % de l'ensemble des activités média et édition du groupe, tarde à être atteint puisqu'en 2009 il n'est que de 7,3 %.

Pure-players

Les *pure-players* sont le produit de démarches éditoriales, mais aussi commerciales (Amazon, Ebay) ou encore de services, lancées spécifiquement sur le Web. La notion de *pure-player* recouvre donc des activités beaucoup plus larges que celles de la presse en ligne. Les *pure-players* qui interfèrent avec la presse en ligne ne se limitent cependant pas à l'édition d'information au sens journalistique. C'est ainsi que, en créant des plates-formes collaboratives (Doctissimo, Aufeminin, Dailymotion, etc.) dans des registres ou auprès de publics auxquels s'adressent les sites, ils interagissent avec ceux-ci. De la même manière, le développement de services ou d'activités commerciales concernant tout particulièrement les petites annonces (tel *Monster*) par des *pure-players* a un impact très significatif sur le modèle économique de la presse en ligne et au-delà de la presse écrite d'information. Lorsqu'ils abordent le traitement de l'actualité, les *pure-players* peuvent s'appuyer sur des méthodes, des structures et des professionnels du journalisme. Ils peuvent aussi préférer rompre complètement ou pour partie avec ceux-ci en s'appuyant sur des amateurs, internautes, à la manière de OhMyNews ou de HuffingtonPost.

Les premiers *pure-players* sont contemporains des balbutiements du Web, en Amérique du Nord, mais aussi en France, comme le montre Frank Rebillard [2009] à propos des domaines de l'information spécialisés dans l'univers du numérique (La vague interactive, Cybersphère, etc.) ou du local (@lyon, Webcity, etc.). En matière d'information générale, le site Salon voit le jour aux États-Unis en 1995. L'année suivante, Slate fait son apparition grâce au financement de Microsoft. Depuis l'origine, les *pure-players* peuvent être des initiatives totalement indépendantes, nées de projets de groupes de journalistes (Salon) ou de passionnés du Web, ayant parfois un lien avec l'informatique. Des *pure-players* sont aussi créés à l'initiative d'éditeurs de médias souhaitant diversifier leur activité éditoriale. C'est par exemple la démarche du *Monde* avec Lepost, du groupe norvégien Schibsted avec le site économique E24. Un certain nombre de *pure-players* qui ont été créés dans un cadre indépendant sont par la suite rachetés par des groupes de médias, tel Slate.com par le *Washington Post*, Sport24 par *Le Figaro*, Aufeminin par Springer. Dans ce dernier cas, le *pure-player* donne lieu à une internationalisation avec la création de son homologue en Pologne (0Feminin.pl) et la relance d'un site du groupe en Allemagne (Bilderfrau.de), de la même manière que Doctissimo, Thotnet et NewsWeb se sont vu confier par Lagardère la relance ou le développement de ses sites : Psychologie, Première, JDD, Parismatch, etc.

À partir de 2007, un ensemble de *pure-players* créés par des groupes de journalistes joue un rôle significatif en France. Il s'agit de Rue89, Mediapart, Slate, Lepost, Bakchich, Arretsurimages, etc. Ils sont souvent créés par des journalistes issus de la presse écrite en désaccord avec la ligne éditoriale de leurs titres (*Le Monde, Libération*, etc.) et souhaitant profiter de la dynamique et de la souplesse du Web pour expérimenter des approches journalistiques innovantes à leurs yeux. En soi, ces démarches ne sont pas très différentes du Slate nord-américain, des anciens du *Washington Post* créant Politico en 2006 ou du quotidien espagnol *El Mundo* fondant Soitu en 2007. La particularité du contexte français pourrait tenir au nombre de ces *pure-players* d'information générale faisant leur apparition dans la même période, alors qu'ils développent des approches éditoriales décalées au regard des sites rattachés à des titres de presse : enquête, analyse approfondie, satire, décryptage, volonté d'équilibrer le traitement de l'actualité entre les sexes (Lesnouvellesnews)... Laboratoires, lieux d'expérimentation et de créativité, poils à gratter, capables par moments d'influencer l'actualité par leurs enquêtes (Mediapart durant l'été 2010), comment évolueront avec le temps les *pure-players* d'information ? La plupart n'ont pas trouvé l'équilibre financier. Le secteur connaîtra certainement de profondes mutations faites d'abandons, de reprises et de quelques réussites en tant qu'indépendants. L'un d'eux, Owni, innove précisément par son articulation et son financement par un *pure-player* de services (la société : 22 mars).

Blogs et sites participatifs

L'idéal d'une information libre permettant l'accès du plus grand nombre au débat public, qu'incarnaient les blogs, a stimulé la floraison de ceux-ci au cours de la décennie 2000. Une partie d'entre eux se situent explicitement sur le terrain de l'information, y compris d'actualité. Dans ce sens, ils rejoignent l'autre forme d'information contributive que constituent les « sites participatifs » sur le modèle d'Agoravox, en France. Blogs et sites participatifs sont régulièrement confrontés à la question de la frontière entre professionnel et amateur dans le recueil et le traitement de l'information, ce qui est légitime quant à la réflexion sur le journalisme et son éventuelle redéfinition. Ils ont en tout cas leur place en tant qu'acteurs de l'information interagissant avec la presse en ligne. Certains proposent un traitement de l'actualité répondant aux critères professionnels de production de l'information. D'autres sont le lieu d'une expertise dans des domaines de grande technicité qui nourrit le contenu des sites d'information en tant que source. D'autres encore développent des analyses et des commentaires qui constituent des contributions au débat public qui conduisent à leur reprise par les sites professionnels, alors qu'une plus grande autonomie peut stimuler une créativité qui rejaillit bien au-delà de la sphère participative. Les blogs constituent enfin une opportunité pour des journalistes à la recherche d'espaces d'expression ou de production d'une information qu'ils ne trouvent pas dans les médias qui les emploient.

La guerre d'Irak de 2003 est l'occasion de révéler aux yeux du public comme des professionnels le phénomène des blogs développés par des journalistes qui souhaitent trouver un espace d'expression autonome, d'analyse et d'échange, échappant aux contraintes qu'impose à chacun sa hiérarchie dans son propre média. Ce sont les *warblogs*, même si, comme le rappelle Florence Le Cam [*in* Charon et Mercier, 2004], ces « carnets de guerre » numériques sont produits également par des non-journalistes, experts, voire militaires. En dehors d'un contexte aussi exceptionnel, les blogs de journalistes se développent, partant d'une aspiration à éditorialiser ou à commenter lorsque les fonctions occupées dans les rédactions ne le permettent pas. Des spécialistes de divers domaines trouvent dans le blog une opportunité de présenter des données, des faits, des dossiers, des commentaires plus déployés que dans leur média, à l'exemple d'Ipolitique.fr de Laurent de Boissieu (du service politique de *La Croix*). Les responsables éditoriaux de développement numérique accordent une large place à leur blog, à l'image de Benoît Raphael (ancien rédacteur en chef de Lepost) et son Benoitraphael.blogspot.fr. Les pigistes peuvent enfin prolonger l'expérience acquise en matière de fourniture d'articles pour ou *via* le Net pour développer leur propre démarche d'autoédition, à la fois production d'information indépendante et vitrine, permettant de faire valoir leur savoir-faire. Le développement d'espaces de blogs dans les sites de la presse en ligne pourrait favoriser le rapatriement de blogs de journalistes au sein du site de leur média employeur. Il n'est pas certain que cela conduira à l'épuisement du phénomène, ne serait-ce que par le renouvellement de ceux-ci alimenté par l'arrivée de jeunes journalistes, la place qu'y jouent les pigistes ou, simplement, l'aspiration à l'autonomie que nombre de journalistes cherchent à préserver ainsi.

Dans la diversité et la masse des blogs de non-professionnels de l'information, une catégorie intéresse particulièrement la presse en ligne : celle des « experts ». La définition de ces derniers n'est pas simple tant les choses sont mouvantes et circonstancielles. Étienne Chouard, citoyen ordinaire, interpellé par le texte proposé au référendum de 2005, insatisfait de son traitement dans la campagne électorale, s'est investi dans l'analyse de celui-ci et en a fait le contenu de son blog [Cardon, 2010]. Le blog d'un enseignant se hisse alors au niveau de la compétence de l'expert, devenant une référence pour les rédactions, au-delà de la presse en ligne. La plupart des blogs d'experts prennent cependant appui sur la compétence professionnelle de leur auteur. Dans le domaine du droit, le blog de Me Eolas fait référence. Forme particulière de ces blogs d'experts, d'anciens journalistes peuvent rechercher un lien avec leur activité passée par cette pratique d'autoédition. Avec Ericdupin.blogs, un ancien journaliste politique, spécialiste des sondages, poursuit sa réflexion et la fourniture de données sur ce domaine.

Les sites participatifs d'information [Rebillard et Smyrnaios, *in Réseaux*, 2010] reposent sur le principe d'accueillir différentes formes de contributions d'internautes amateurs en matière de traitement de l'information, que celle-ci ait trait à l'actualité ou qu'elle concerne des domaines plus spécialisés (économie, culture, technique, sciences, etc.). Les sites contributifs se distinguent des plates-formes ou des réseaux sociaux par le fait que les contributions y sont éditées, du point de vue de leur mise en forme, mais aussi du fond, par une petite équipe de professionnels-journalistes. Ces derniers ont également la charge de « modérer » les différents commentaires. Le site participatif le plus connu est le Sud-Coréen OhMyNews. Celui-ci revendique 50 000 contributeurs et emploie un peu plus d'une soixantaine de journalistes qui participent eux-mêmes pour partie à la production de l'information (de l'ordre de 20 %). Parmi les sites nord-américains ou internationaux les plus fréquemment cités figurent Suite 101, Indymedia, NewAssignment.net ou HuffingtonPost. En France, Agoravox s'inscrit dans cette tendance où coopèrent l'internaute de base, le témoin d'une situation ou d'un événement, l'expert ou professionnel d'un domaine, ainsi que des journalistes chargés de la finalisation de l'ensemble.

Les sites participatifs ont constitué dès l'origine une interpellation de la presse en ligne, dénoncée comme reprenant les structures, les modèles et les « archaïsmes » des « vieux médias », alors qu'ils prétendaient pouvoir libérer un potentiel de volonté participative et citoyenne grâce aux vertus des outils numériques. Ils trouveront parmi les intellectuels — tels Dan Gillmor en Amérique du Nord ou Joël de Rosnay [2006] en France — nombre de relais qui amplifient l'écho de leur démarche bien au-delà de leur audience effective. Une seconde interpellation porte davantage sur la conception de l'information et du journalisme. Il s'agit de la mise en cause des objectifs ou du rôle du journalisme en tant qu'il recherche un certain équilibre et une forme de recul dans le traitement des faits, ce qui, en Amérique du Nord, recouvre la notion d'objectivité. Florence Le Cam [*Réseaux*, 2006] montre bien que, dans les sites participatifs comme dans les blogs amateurs, prévaut une conception plus impliquée, exprimant des partis pris, qui n'entend pas reprendre une conception « éducative » de l'information, pas plus que rechercher à fournir un éventail large, le plus complet et le plus représentatif possible des événements et des faits du jour.

VII / Publics et contributeurs de la presse en ligne

Comme tout nouveau média, la presse en ligne donne lieu à une pratique de son public très évolutive, en même temps qu'extrêmement contrastée selon l'éventail des formes d'usages potentiellement accessibles et les composantes sociales concernées [Flichy, 1991]. L'une des spécificités de l'Internet, particulièrement avec le développement d'applications contributives et la valorisation de celles-ci au travers de la notion de « Web 2.0 » [Rebillard, 2007 ; Bouquillion, 2010], tend en effet à brouiller ou à rendre pour partie poreuse la frontière entre le public et le contributeur-producteur de contenu. La notion de « Webacteur » [Pisani, 2008] qualifierait assez bien l'accès du public à des pratiques d'autoproduction, allant du commentaire d'un article à l'animation d'un blog, en passant par l'intervention dans des *chats* ou la participation à un groupe d'amis sur Facebook. L'histoire du support montre cependant que la presse en ligne n'est pas non plus le lieu où s'inventent majoritairement les nouveaux usages, qu'elle peut s'approprier dès que ceux-ci acquièrent un certain niveau de diffusion. C'est pourquoi il n'est pas possible d'aborder la question du public des sites d'information, son périmètre, son âge, ses structures sociales ou de sexe, sans identifier ce que sont plus globalement les caractéristiques — et les tendances à l'œuvre — du public de l'Internet. Ces dernières ne peuvent, en effet, qu'influencer profondément les transformations des utilisateurs et les pratiques des sites de presse en ligne, qu'il s'agisse de la composition sociale, des moments et contextes de consultation, des niveaux d'implication et notamment de confiance à l'égard des contenus proposés par ceux-ci.

Pratique du Web et grand public

Un discours très largement répandu laisse penser que l'Internet s'est plus rapidement diffusé de par le monde, comme dans les différentes strates de nos sociétés, que tous les médias qui l'ont précédé. Les données relatives à l'équipement en ordinateurs, à l'accès au Web et particulièrement au haut débit contredisent pourtant une telle image. C'est que le nouveau média, à l'échelle planétaire, creuse les inégalités entre les régions et les continents. Selon le *World Internet Usage and Population Statistics* [Pisani, 2008], seuls 2,9 % des Africains, 3,7 % des Indiens, 12,3 % des Chinois et 19,8 % des habitants d'Amérique latine sont aujourd'hui connectés. En France, l'enquête sur les « Pratiques culturelles des Français » [Donnat, 2009] révèle que, en 2008, un tiers des personnes interrogées ne disposaient pas d'un ordinateur à leur domicile, alors que 11 % dont le foyer était équipé ne l'utilisaient jamais : 40 % de la population échappaient donc au public potentiel de la presse en ligne. Pour ces exclus dominent des facteurs d'âge, de revenus, de niveau d'études et de sexe, les plus âgés, les plus pauvres, les moins diplômés et les femmes étant moins utilisateurs.

Clivages sociaux

La proportion des internautes est très proche en France de celle des utilisateurs d'ordinateur à leur domicile ou hors de celui-ci, soit 54 % et 57 %. Médiamétrie, dans son étude de cadrage, estimait de son côté le nombre d'internautes connectés à leur domicile à 30 millions fin 2009. Parmi ceux-ci, pratiquement 95 % disposaient du haut débit. L'enquête sur les « Pratiques culturelles des Français », dont les résultats sont proches de l'étude sur « la diffusion des technologies de l'information et de la communication dans la société française » [Bigot et Croutte, 2008], souligne d'abord l'inégale répartition sociale des internautes dans la population, puisque, s'il y a plus de 90 % d'utilisateurs du Web parmi les cadres et professions libérales, les étudiants ou les lycéens, seulement 30 % des femmes au foyer ont accès au nouveau média. Le chiffre tombe à 5 % pour les ouvriers retraités. Parmi les internautes français, 67 % se connectent fréquemment (« tous les jours ou presque ») pour une durée moyenne de douze heures par semaine. Du point de vue de la fréquence, les cadres et professions libérales sont la catégorie sociale la plus en pointe, alors même que celle-ci se cumule avec l'intensité des principales pratiques culturelles, qu'il s'agisse de lecture de livres, de fréquentation de musée, de théâtre ou de cinéma.

L'étude Crédoc confirme l'importance des clivages sociaux concernant un ensemble d'utilisations du Web, qui ne sont pas sans conséquence sur les applications participatives ou contributives de la presse en ligne : la création de blogs, hormis le critère de l'âge, met en évidence la plus forte proportion de hauts revenus (19 % pour 3 100 euros et plus). Le recours au Web pour travailler et étudier atteint 59 % chez les cadres supérieurs, 38 % pour les revenus supérieurs à 3 100 euros, 30 % pour les résidents dans l'agglomération parisienne. Ce sont 36 % des cadres supérieurs qui se seraient formés à partir de services du Net ; 69 % des diplômés du supérieur, 78 % des cadres supérieurs, 59 % des revenus supérieurs à 3 100 euros auraient effectué des démarches administratives et fiscales *via* Internet. Enfin, même si la définition donnée par l'enquête sur les « Pratiques culturelles des Français » est un peu trop large (« s'être connecté à un site de presse en ligne »), il en ressort un profil assez précis du public des sites d'information. Il représenterait à peine plus d'un Français sur cinq : plus souvent un homme entre 20 et 34 ans, avec quasiment pas de personnes de plus de 65 ans. La proportion est la plus forte chez les cadres et professions intellectuelles supérieures, mais il n'y a pratiquement pas d'agriculteurs. Leur résidence est surtout à Paris (ou en banlieue parisienne) et dans les villes de plus de 100 000 habitants, ce qui ne facilite pas les choses pour les sites rattachés à la presse régionale.

Au regard de la valorisation des comportements actifs, contributifs du public vis-à-vis de la presse en ligne, l'étude des pratiques culturelles permet de situer au moins deux formes de ceux-ci : la participation à des *chats* et forums, l'animation de blogs ou sites personnels. Seul un Français sur dix aurait déjà fréquenté un *chat* ou un forum, celui-ci n'étant pas forcément situé dans le cadre d'un site d'information ; 7 % de la population a créé un blog ou un site personnel, dont la majorité ont des chances de se situer sur les grandes plates-formes contributives telles que Skyblog, Overblog, Msnspaces, etc. Le baromètre sur la confiance des Français dans leurs médias (La Croix-TNS Sofres) apporte quelques précisions sur la perception de la presse en ligne en tant que média d'information. En premier lieu, seule une faible minorité (8 %) la considère comme la « manière principale de se tenir au courant de l'actualité nationale ou internationale ». Ce chiffre ne progresse pas très sensiblement pour les utilisateurs réguliers du Web (« tous les jours ou presque »). Aux États-Unis, la situation a plus sensiblement évolué puisque la hiérarchie entre les médias serait désormais la télévision devancée par l'Internet, alors que presse écrite et radio seraient désormais derrière.

La confiance dans la fiabilité du média n'est pas non plus très répandue en France, puisque seules 35 % des personnes interrogées pensent que « les choses se sont passées vraiment ou à peu près comme le raconte Internet ». Cependant, ce sentiment progresse chez les utilisateurs réguliers (47 %), soit *grosso modo* le score de la télévision. Il faut noter ici la confirmation du très grand nombre de ceux qui sont exclus du média, puisque 35 % des personnes interrogées sont « sans opinion », ce chiffre montant à 70 % chez les plus de 65 ans (contre 7 % pour les 18-24 ans) et 72 % chez les « sans diplômes, certificat d'études » (contre 15 % pour les diplômés du supérieur).

Pratiques jeunes

Quelle que soit la dimension des usages du Web envisagée, une catégorie de public se distingue sensiblement, celle des jeunes. Il s'agit d'abord de celle qui a la plus forte proportion de gros utilisateurs de l'ordinateur : 32 % des 20-24 ans lui consacrent plus de vingt et une heures par semaine [Donnat, 2009], et ce sont eux qui pratiquent le plus l'autoproduction (74 % des 15-19 ans). Leurs utilisations se distinguent tant pour le divertissement, la convivialité que pour le travail. C'est ainsi que 67 % des 15-24 ans écoutent et téléchargent des films, 41 % jouent et téléchargent des jeux, 73 % pratiquent la messagerie instantanée, 31 % participent à des *chats* ou des forums [Donnat, 2009] ; alors que 64 % des 12-17 ans utilisent le Web pour leurs études, que 38 % des élèves et étudiants disent se former avec le Web et que 55 % des 18-24 ans recourent à des démarches administratives ou fiscales par Internet [Bigot, 2008]. Le fait d'être jeune n'annule pas les autres caractéristiques sociales. Les enfants de cadres et catégories à fort niveau d'éducation ont des usages plus importants et plus diversifiés, alors que ce sont les garçons qui jouent le plus en ligne, de même qu'ils téléchargent davantage. Le public le plus jeune est également celui pour lequel s'opèrent les mouvements les plus rapides dans la pratique du Net. C'est ainsi que, après avoir été en pointe dans la création de blog (53 % des 12-17 ans selon l'étude Crédoc), ils sont désormais davantage portés vers les réseaux sociaux, à commencer par Facebook. Le Pew Research Center indique ainsi que, aux États-Unis, entre 2006 et 2009, la proportion des 12-17 ans possédant un blog est passée de 28 % à 14 %.

Le rapport du public jeune à la presse en ligne comporte deux facettes qui constituent une perspective intéressante pour celle-ci. Du point de vue de l'usage proprement dit, si les 15-19 ans ne sont que 28 % à « lire des journaux ou des magazines en ligne » [Donnat, 2009], ils sont en revanche 48 % parmi les 20-24 ans. Pour ce qui est de la représentation de l'Internet comme média d'information, le baromètre La Croix-TNS Sofres, qui se penche sur la confiance des Français dans leurs médias, met en évidence que les 18-24 ans sont les plus nombreux (19 %) à considérer celui-ci comme le premier moyen pour être informés sur l'actualité. Ils sont également les plus confiants dans celui-ci, puisqu'ils sont 52 % (contre 35 %) à penser que les choses se sont passées telles que le média l'a présenté. C'est aussi parmi eux qu'il y a le moins de sans-opinion sur cette question (7 %).

Lieu et contexte d'utilisation

En principe, la disponibilité du média peut permettre sa consultation en tous lieux, en toutes circonstances, quelle que soit l'heure. L'observation des statistiques de consultation a très tôt montré l'importance des connexions aux sites de presse en ligne à des horaires de travail et à partir des lieux de travail. Rien d'étonnant alors que le taux d'équipement en ordinateurs au domicile des utilisateurs ait été très faible. Le très large développement de celui-ci n'a pourtant pas inversé les choses, pas plus que l'élargissement de l'offre d'applications participatives, servicielles ou distractives. Tout au plus aux deux pics d'arrivée au bureau le matin et en début d'après-midi a succédé une structure plus lissée sur l'ensemble de l'horaire de travail. Le déficit de consultation est sensible en soirée, tôt le matin ou le week-end. Le phénomène échappe aux spécificités de modèles de consommation médiatique nationaux. Une même structure se retrouve en Amérique du Nord et du Sud [Boczkzowski, 2010] comme en Europe. La question de l'amplitude horaire pour les rédactions ne devrait pas se simplifier avec le développement des applications destinées aux mobiles pour lesquelles les pointes de trafic sont plus précoces (avant l'arrivée sur le lieu de travail) et très tardives dans la soirée.

L'analyse de l'audience

Pour les fournisseurs d'information tirant le principal, voire l'entièreté, de leurs ressources sur le marché publicitaire, la question des usages passe par une quantification de ceux qui fréquentent leurs sites, voire des manières d'y circuler, de leur consacrer du temps. C'est la question des audiences que connaissent tous les médias, avec des modalités qui peuvent varier selon qu'il est possible d'accéder directement à l'usage en temps réel d'un échantillon de public (télévision) ou qu'au contraire il est nécessaire de passer par le biais de questionnaires (radio et presse écrite). Les caractéristiques de l'Internet permettent une comptabilisation en temps réel des pratiques. Celle-ci peut être obtenue directement à partir d'enregistrement sur les sites Web (*site centric*). Il est également possible de faire remonter l'information à partir des terminaux des utilisateurs, sur lesquels sont installés des logiciels *ad hoc*, et de comptabiliser les audiences des sites à partir d'un échantillon représentatif d'utilisateurs (« panel »). La proximité de l'approche de l'audience avec celle qui prévaut pour la télévision a donné aux spécialistes de l'analyse de celle-ci une prime pour s'imposer dans l'univers du Web. C'est ainsi que, en France, Médiamétrie, forte de son expérience du « Médiamat », s'est imposée avec son « Panel Médiamétrie/Netrating ». Pour celui-ci, Médiamétrie s'appuie sur une plate-forme internationale « Nielsen Online » qui permet les comparaisons entre pays, en partageant les mêmes principes et règles. Cela n'empêche pas Médiamétrie de proposer une méthodologie *site centric*, ainsi qu'un certain nombre de déclinaisons sur des pratiques spécifiques telles que l'e-commerce, les services bancaires ou encore les forums, les mails ou les blogs (grâce à son « Observatoire des usages de l'Internet »). En matière de statistiques à partir des sites, Médiamétrie n'est cependant pas seule et les sites d'information figurent pour la plupart parmi les adhérents de l'organisme légitime pour la France en matière de diffusion de presse, soit l'OJD (Office de justification de la diffusion).

L'audience des sites Internet s'appréhende à partir de plusieurs notions ou indicateurs, dont les principaux sont la « page vue », la « visite » et le « visiteur unique » (VU). La page vue correspond à l'ensemble du contenu auquel accède un internaute par un clic. La visite correspond quant à elle à la consultation d'un internaute sur un site durant une période de temps (un mois par exemple). Un internaute est comptabilisé autant de fois qu'il accède à ce site durant cette période de temps. À l'inverse, le visiteur unique n'est comptabilisé qu'une fois dans la période de temps de référence (le mois le plus souvent), quel que soit le nombre de consultations qu'il a pu faire sur le site. Les statistiques comparatives le plus souvent utilisées sont celles qui prennent en compte les visiteurs uniques. Petit à petit se profile une notion de temps d'exposition à un type de contenu, à un site, etc. Celle-ci est au cœur de travaux et regroupements d'opérateurs. Elle pose encore nombre de questions, notamment d'extrapolation et de comparabilité. Elle est cependant très attendue par les annonceurs comme par les éditeurs souhaitant valoriser les contenus informatifs. L'échantillon ou « panel » utilisé par les organismes d'analyse de l'audience prend en compte de manière représentative (sexe, niveaux socioculturels, lieux de résidence) les internautes à partir d'une limite d'âge (2 ans et plus pour Médiamétrie). Dans ces panels sont également distinguées les consultations selon les lieux de connexion : « tous lieux », « domicile et/ou lieu de travail », « domicile », « lieu de travail ». Les échantillons sont généralement de taille importante (25 000 dans le cas de Médiamétrie).

Tableau 4. **L'audience des principaux sites d'information/sites de services et contributifs**
(En millions de visiteurs uniques)

Cinq premiers sites de presse américains		Cinq premiers sites de presse français	
Nytimes.com	12,6	Lefigaro.fr	7,3
Latimes.com	8,8	Lemonde.fr	5,8
Slate.com	7,8	Leparisien.fr	4,9
Washingtonpost.com	7,4	20minutes.fr	4,9
USAtoday.com	5,4	Lequipe.fr	4,8

Source : Quantcast (décembre 2009) pour les sites américains, Médiamétrie NetRatings (juin 2010) pour les sites français.

Tableau 5. **Sélection de « grands » d'Europe**
(En millions de visiteurs uniques)

Grands sites européens			
Repubblica.it	13,3	Guardian.co.uk	3,15
Elmundo.es	9,7	Lesoir.be	0,6
SpiegelOnline.de	4,4	Letemps.ch	0,6

Source : éditeurs et organismes d'étude de l'audience nationaux (fin 2009).

Les déterminants de l'audience

La recherche d'une audience ne peut être envisagée de la même manière pour un quotidien papier et un site de presse. Une conséquence forte de la dématérialisation de l'information provient du fait que l'internaute venant sur un site lire une information est différent du lecteur qui prend un journal en main. Il semble en effet qu'une proportion très forte des visites observées sur un site correspond au comportement d'un internaute qui vient lire une information en utilisant des filtres (le principal étant le moteur de recherche). Il s'agit donc de lecteurs indirects qui ne sont pas nécessairement attachés à la « marque » que représente le site de presse, c'est-à-dire des lecteurs consommant une information indépendamment du site spécifique sur lequel elle peut se trouver (dans le cas de Liberation, entre 15 % et 30 % des pages visitées le sont par l'intermédiaire des moteurs de recherche). Cette dimension est cruciale pour comprendre les comportements des internautes, ce qui est un préalable à l'élaboration d'une stratégie de développement de l'audience.

Le Floch, Cariou et Le Guel [2008] ont montré économétriquement les variables exerçant un impact positif sur l'audience des sites d'information. Plusieurs leviers sont ainsi identifiables. En premier lieu, la visibilité sur le Web par un référencement sur d'autres sites renforce l'audience d'un site (une hausse du référencement de 10 % est corrélée à une hausse de l'audience de 4 %). En deuxième lieu, mieux vaut être référencé sur les sites leader de la presse en ligne (l'impact est alors compris entre 9 % et 14 %) Barabási [2003], un des grands théoriciens de la science des réseaux, qualifie ces sites structurant le Web d'attachements préférentiels. En troisième lieu ressort un résultat, qui a pu surprendre les éditeurs, mais qui est finalement conforme à la logique du Web : mettre en place des liens sortant vers les autres sites d'information permet d'améliorer l'audience. Le site joue alors pleinement son rôle de plateforme en aiguillant l'internaute dans la complexité de la Toile. Un quatrième levier paraît aussi jouer un rôle déterminant : une augmentation du nombre de pages favorise le nombre de pages lues et permet de fidéliser l'audience.

La réussite d'un site d'information en termes d'audience, sous réserve d'un niveau de qualité considéré comme étant suffisant par les internautes, est en résumé une fonction croissante du nombre d'hyperliens entrants et sortants. Autrement dit, elle dépend de la capacité d'un site à réellement s'insérer dans le Web. Les éditeurs de site l'ont aujourd'hui bien compris et n'hésitent plus à offrir aux internautes tous les outils par lesquels ceux-ci pourront facilement référencer les informations qui les intéressent dans les différents réseaux sociaux (Facebook, Twitter, Viadeo…).

Les principales formes de contribution

À partir du milieu de la décennie 2000, la presse en ligne intègre progressivement la notion de contribution de son public au contenu même de l'information. Dans les faits, c'est toute une graduation d'offres de collaboration qui se met en place en commençant par les commentaires qui peuvent être plus ou moins modérés, *a priori* ou *a posteriori*. L'évolution législative qui assouplit la notion de responsabilité de l'éditeur favorise cette approche. En second lieu, il est devenu assez banal de proposer aux internautes de « voter » pour les différents contenus, sur le modèle initié dès 2004 par Digg.com. Les internautes votent directement sur le site d'information, soit explicitement, soit avec leur clic (en comptabilisant la fréquentation). Ce faisant, ils contribuent à une hiérarchie des sujets traités présentée comme telle par les sites. Ils peuvent aussi faire « monter » un sujet, le maintenir parmi les premiers proposés sur la *home page* ou précipiter sa disparition (Rue89). L'organisation de *chats* et forums est un autre mode d'invitation à la prise de parole. Celle-ci exige, pour créer une authentique dynamique, un investissement dans leur animation de ceux-ci, qu'elle soit confiée à quelques internautes partenaires privilégiés ou qu'elle soit prise en charge par un journaliste spécialisé.

Un degré plus important d'intégration des contributions des internautes prend la forme des blogs accueillis sur les sites de presse en ligne. Certains privilégient quelques experts ou intellectuels reconnus et invités à tenir de tels blogs. D'autres ouvrent plutôt des plates-formes aux différents volontaires, comme dans la formule du « club » de Mediapart. Rue89 lance un niveau supplémentaire de contribution à la ligne éditoriale et au contenu même du site par sa notion de cercle : celui des journalistes, celui des « experts », celui des internautes, appelés à discuter de la ligne du site. La création de conférences de rédaction ouvertes, en ligne, vient concrétiser cette démarche. Des contenus éditoriaux peuvent être pensés *a priori* comme devant être nourris par les internautes. C'est l'approche de Lepost, pour qui les internautes sont à la fois fournisseurs d'alertes et de contenus divers sur lesquels travaille ensuite la rédaction. Une forme plus modeste ou occasionnelle consiste à construire articles, dossiers et sujets à partir des commentaires des internautes sur un événement ou une question d'actualité. La conception de formes journalistiques hybrides peut également émerger progressivement, à tâtons. C'est par exemple l'« enquête contributive » initiée par le *Guardian*. Faut-il envisager à terme que la contribution devienne également financière, les internautes attachés à un site d'information soutenant celui-ci *via* une fondation ou plus simplement des apports de fonds permettant au site de développer certaines formes de contenus, telles que l'investigation ? C'est en tout cas une formule qui prend corps désormais en Amérique du Nord (Wikileaks, ProPublica). Elle est reprise et adaptée au contexte français par Rue89, avec la création de Jaimelinfo.

Il existe une forte symbolique autour du participatif et d'une « révolution » du Web 2.0 pour la presse en ligne, au moins dans son rapport à une partie de son public [Rebillard, 2007]. Le participatif représenterait aux yeux de celui-ci comme une alternative à une organisation sociale fortement hiérarchisée et organisée verticalement, où se conjugue le rôle des États, des grandes organisations économiques et des médias traditionnels. Les usages contributifs du Web construiraient au contraire un mode d'organisation sociale horizontal, permettant une large autonomie des individus [de Rosnay, 2006]. Dans la multiplication des propositions de contenus participatifs par la presse en ligne se cumulent en fait deux questions. Dans la première, il s'agirait d'attirer et de fidéliser la frange du public qui est la plus active, la plus impliquée personnellement dans des pratiques d'expression et de recherche d'activité sur le Web. Ce faisant, ce public combinerait l'apport de contenu au sein du site d'information et un volume d'audience spécifique à valoriser auprès des annonceurs (*via* les profils), tout en faisant évoluer l'image des sites, fussent-ils adossés à des titres ou des « marques » de « vieux médias ». Dans la seconde intervient le problème du coût de production des contenus du Web dans une économie fragile avec l'opportunité de trouver dans le participatif un apport de points de vue, d'expression, voire d'information, bon marché, et la thématique « valoriser les contenus amateurs ».

Que représentent réellement les pratiques participatives directement en lien avec l'offre de la presse en ligne, sachant que sur ce terrain les réseaux sociaux et diverses formes de wiki sont apparus hors de la presse en ligne, celle-ci cherchant à s'y articuler (groupes Facebook), voire à les racheter ? Sur ce plan, les données quantitatives manquent, hormis en France le travail de Franck Rebillard [2009]. Croisant notamment l'étude de Médiamétrie de 2006, « Première synthèse dédiée au Web 2.0 », ainsi que celle du Crédoc, citée plus haut [Bigot et Croutte, 2008], l'universitaire lyonnais met en évidence que, tout en étant substantielle, la pratique la plus active des internautes, animer un blog et/ou échanger ses propres créations audio ou vidéo, reste très minoritaire, de l'ordre de 6 % de la population française en 2006, pour passer à 14 % en 2009. Les données disponibles sur les États-Unis ne seraient pas beaucoup plus élevées, puisque la Fondation Pew situe l'animation et le travail sur un blog à 11 % (décembre 2008), 21 % des Nord-Américains disant partager en ligne des contenus de leur propre création quelle qu'en soit la forme. Une définition assez extensive de la notion de participation (voter pour un site, participer à un forum, proposer des commentaires, etc.) pour la France correspond à un petit tiers de la population.

Franck Rebillard, reprenant les données de Williams Wahl-Jorgensen, révèle également que, contrairement aux représentations courantes, la proportion d'internautes ayant contacté un site Web, quelle qu'en soit la forme (commentaire, participation à un forum, etc.), reste faible, soit 4 %, alors que 7 % des téléspectateurs ont pu s'adresser à l'une des chaînes de télévision, 9 % des auditeurs à leurs radios et 17 % à leurs journaux. Réciproquement, l'intégration de contenus issus des usagers resterait modeste au regard des contenus des sites. Franck Rebillard et Annelise Touboul, analysant les pages d'accueil des sites du *Clarin*, du *Monde*, du *Guardian* et du *Washington Post*, observent que, parmi les liens hypertextuels — accès à la profondeur des sites — présents sur celles-ci, seuls 12 % concernaient des contenus de non-professionnels. Quant à la surface représentée par les contenus produits par les utilisateurs, elle représentait 4 % à 16 % du total, alors qu'ils ne sont pas situés en colonne de gauche, considérée comme la plus stratégique. Des observations similaires ont pu être faites sur les sites de presse belges, croates, espagnols ou finlandais.

La profondeur d'une information

La profondeur d'un site, et par extension d'une information, est une caractéristique principale de l'Internet. Elle renvoie notamment à la possibilité de se mouvoir de page en page sur un site en se concentrant sur une information et de s'arrêter sur une page proposant une synthèse d'articles et de sources sur une information donnée. La profondeur d'un site dépend alors de plusieurs paramètres.

Les hyperliens internes au sein d'un article permettent de faciliter la lecture sur un site. S'il convient de reconnaître que ces liens existent dans quasiment tous les sites de presse, tous les articles en revanche ne les intègrent pas. L'internaute se retrouve alors dans la situation où, s'il désire continuer sa navigation, il doit passer d'un article à l'autre... ou quitter le site pour s'en aller voir ailleurs.

L'existence d'hyperliens externes au sein d'un article permet d'approfondir la lecture de l'information en offrant la possibilité d'accéder aux sources. Les sites de presse ont été très réticents à utiliser cette possibilité technique qui pouvait permettre aux internautes de partir vers d'autres sites. Mais, comme les études le montrent, un site d'information ne peut se couper du reste de la Toile. Tout particulièrement, les éditeurs de presse semblent hésiter à activer des liens vers la blogosphère française et étrangère alors que les journalistes font de plus en plus référence dans leurs articles à des expressions telles que « selon les rumeurs sur la blogosphère ».

Les sites de presse n'ont pas encore pleinement profité de la technologie qui permet d'avoir accès à une synthèse des articles écrits sur un sujet donné. Si des formules proposant un récapitulatif chronologique des articles peuvent être proposées, il n'y a que très peu de travail rédactionnel complémentaire (à l'exception de sites comme Lesechos et Nytimes).

Conclusion

Tel Sisyphe, la presse en ligne tente, une nouvelle fois, au début des années 2010, de reconstruire un modèle économique viable, à la hauteur des promesses qu'a pu susciter le Web en matière de réactivité, de transparence et en même temps de profondeur dans le traitement de l'information. Pour ce faire, la presse en ligne doit dégager des moyens, inventer des structures, repenser des méthodes de travail, créer des formes de récit qui garantissent la qualité journalistique des contenus qu'elle délivre. Si le public le plus jeune est prêt à créditer les sites d'information d'une fiabilité au moins équivalente à celle des médias traditionnels, c'est loin d'être encore le cas pour la majorité des publics. De ce point de vue, les internautes français paraissent en retrait au regard des évolutions qui prévalent désormais en Amérique du Nord où l'Internet a pris sa place dans le trio de tête des médias les plus crédibles.

En même temps, la question de la crédibilité de l'information, telle qu'elle se posait déjà pour les médias traitant l'actualité, ne saurait suffire. Les sites d'information sont en première ligne pour manifester leur capacité à s'adapter et intégrer les nouvelles formes de sociabilité, d'échange, d'interaction qui se développent sur le Web, avec notamment les modalités en cours de définition des manières de s'informer du proche au plus lointain, du plus général au plus spécifique. Cela vaut encore plus ou moins selon les publics concernés, c'est désormais crucial et essentiel pour les plus jeunes. C'est tout le défi que représentent les réseaux sociaux, Youtube, Myspace, Dailymotion, et surtout Facebook et Twitter. C'est aussi tout l'enjeu que constituent, pour la presse en ligne, les manières de s'y articuler, d'y être présent, d'y intégrer une partie de leur dynamique et de leurs flux de contenus.

Le modèle économique de la presse en ligne impose d'inventer de nouvelles structures et manières de travailler aux rédactions, et il en va de même pour les services commerciaux et les équipes techniques. Commercialement, l'avenir immédiat est conditionné par deux interrogations dont le public détient largement la clé. En premier lieu, les internautes sont-ils prêts à renforcer et intensifier leur présence sur les sites d'information ? Sont-ils prêts à se fidéliser à ceux-ci, à les privilégier pour y réaliser un large spectre d'activités, de la recherche de l'information à tout un éventail de services en passant par l'acquisition de connaissances et le développement de réseaux relationnels ? En découle l'amplitude de la croissance quantitative et qualitative des audiences des sites. En second lieu, les internautes sont-ils disposés à payer une partie de l'information et des services qui lui sont et seront de plus en plus associés ? La question est d'autant plus délicate que le média s'est développé sur le modèle de la gratuité et que les structures, les méthodes et les modalités du développement de ce type de ressources émanant directement du public restent largement à inventer.

Le Web en tant que média est le fruit d'une innovation technologique tant matérielle qu'intellectuelle et servicielle. Celle-ci a pris plusieurs décennies pour donner naissance aux premiers balbutiements du média dans les années 1990. Elle n'a cessé ensuite de pousser aux multiples évolutions de celui-ci. L'appropriation de cette compétence et maîtrise de l'innovation technologique se révèle être un enjeu tout à fait essentiel qu'illustre bien la marginalisation des entreprises et groupes de médias traditionnels par rapport aux activités telles que la fourniture d'accès, les moteurs de recherche et même les portails les plus significatifs. Ce sont en revanche des acteurs de l'informatique et des télécommunications, souvent des géants internationaux, qui occupent toute cette place. C'est dire qu'une partie de l'avenir de la presse en ligne et de ceux qui domineront celle-ci réside dans la capacité des entreprises à incorporer de manière beaucoup plus intime la technologie et les rythmes de l'innovation. Il faut, pour les entreprises de contenu, rompre ici avec un modèle qui a été dominant, selon lequel la technique était un ailleurs, en tout cas était nettement distincte des lieux d'élaboration de l'information. Avec le Web, l'information ne peut plus se percevoir comme dans une sorte de surplomb vis-à-vis de la technique. De cette rupture dépend largement la capacité de la presse en ligne à modifier ses rapports (notamment les flux financiers) avec des acteurs tels que les agrégateurs ou les réseaux sociaux. Il pourrait bien y avoir dans cet enjeu une véritable dimension de recherche et développement, sinon l'existence de la presse en ligne, du moins la question de son autonomie vis-à-vis de géants mondiaux de l'industrie ou des services.

Repères bibliographiques

ANDERSON C., *The Long Tail : How Endless Choice Is Creating Unlimited Demand*, Random House Business Books, Londres, 2006.

ATTIAS D., « Quel modèle économique pour la presse sur Internet ? », *Le Temps des médias*, printemps 2006.

BARABÁSI A.-L., *Linked : How Everything Is Connected to Everything Else and What It Means for Business, Sciences and Every Day Life*, A Plume Book, Cambridge, 2003.

BELLANGER C. *et al.*, *Histoire générale de la presse française*, tomes 3 et 4, PUF, Paris, 1975.

BIGOT R. et CROUTTE P., *La Diffusion des technologies de l'information et de la communication dans la société française*, Crédoc, Paris, 2008.

BOCZKOWSKI P. J., *News at Work : Imitation in an Age of Information Abundance*, University of Chicago Press, Chicago, 2010.

BOUQUILLON P. et MATTHEWS J. T., *Le Web collaboratif. Mutations des industries de la culture et de la communication*, PUG, Saint-Martin-d'Hères, 2010.

BURKHARDT F., *Les Journaux et les médias électroniques*, Ifra, Darmstadt, 1984.

Cahiers du journalisme, « Médias généralistes et idéal journalistique : la fin d'une époque », *Les Cahiers du journalisme*, n° 16, 2006.

— « L'économie du journalisme », *Les Cahiers du journalisme*, n° 20, 2009.

Cahiers français, « Information, médias et Internet », *Cahiers français*, n° 338, 2007.

CARDON D., *La Démocratie Internet. Promesses et limites*, Paris, Seuil, 2010.

CARDON D. et GRANJON F., *Médiactivistes*, Presses de Sciences Po, Paris, 2010.

CAVELIER-CROISSANT V., *La Presse quotidienne française sur Internet : stratégies, discours et représentations des acteurs de presse quotidienne d'information générale dans le cadre du développement de leur site Internet*, thèse SIC, Université Stendhal Grenoble-III, Grenoble, 2002.

Cariou C. et Le Floch P., *La Presse en ligne : une prison éditoriale*, 2009, www.everydatalab.com.

Charon J.-M., *La Presse en France de 1945 à nos jours*, Seuil, « Points », Paris, 1991.

— *La Presse magazine*, La Découverte, « Repères », Paris, 2008, nouv. éd.

Charon J.-M. et Mercier A. (dir.), *Armes de communication massive, information de guerre en Irak : 1991-2003*, Éditions du CNRS, Paris, 2004.

Chupin I., Hubé N. et Kaciaf N., *Histoire politique et économique des médias en France*, La Découverte, « Repères », Paris, 2009.

Communication & langages, n° 160, juin 2009.

Derieux E., *Droit des médias. Droit français, européen et international*, LGDJ, Paris, 2008, 5e éd.

Derieux E. et Granchet A., *Droit des médias. Droit français, européen et international*, LGDJ, Paris, 2010, 6e éd.

Donnat O., *Les Pratiques culturelles des Français à l'ère du numérique — Enquête 2008*, La Découverte, Paris, 2009.

Estienne Y., *Le Journalisme après Internet*, L'Harmattan, Paris, 2007.

États généraux de la presse écrite, *Livre vert*, ministère de la Culture et de la Communication, 8 janvier 2009.

Eveno P., *La Presse quotidienne nationale. Fin de partie ou renouveau ?* Vuibert, Paris, 2008.

Flichy P., *Une histoire de la communication moderne. Espace public et vie privée*, La Découverte, Paris, 1991.

Fogel J.-F. et Patino B., *Une presse sans Gutenberg*, Grasset, Paris, 2005.

Gentzkow M., « Valuing new goods in a model with complementarities : online newspapers », *American Economic Review*, juin 2007.

Giroux D. et Sauvageau F. (dir.), *La Rencontre des anciens et des nouveaux médias*, CMRC/CCRM, Vancouver, 2007.

Hermès, « Les journalistes ont-ils encore du pouvoir ? », *Hermès*, n° 35, 2003.

Gillmor D., *We the Media. Grassroots Journalism by the People*, O'Reilly, Sebastopol, CA, 2004.

Greffe X. et Sonnac N. (dir.), *Culture Web. Création, contenus, économie numérique*, Dalloz, Paris, 2008.

Idate, *Stratégies des régies en ligne et modalités de valorisation de la publicité sur Internet*, rapport remis à la Direction générale des médias et des industries culturelles, ministère de la Culture et de la Communication, janvier 2010.

Lagneau E., *L'Objectivité sur le fil. La production des faits journalistiques à l'Agence France-Presse*, thèse de doctorat, IEP de Paris, janvier 2010.

LE FLOCH P., CARIOU C. et LE GUEL F., *La Presse en ligne : audiences, contenus et hyperliens*, 2008, www.everydatalab.com.

LÉGICOM, *Les Amateurs : création et partage de contenus sur Internet*, *Légicom*, n° 41, 2008.

MALIN E. et PÉNARD T., *Économie du numérique et de l'Internet*, Vuibert, Paris, 2010.

PÉLISSIER N. et CHAUDY S., « Le journalisme participatif et citoyen sur Internet : un populisme dans l'air du temps ? », *Quaderni*, n° 70, 2009.

PÉLISSIER N. *et al.*, « Cyberjournalisme : la révolution n'a pas eu lieu », *Quaderni*, n° 46, 2001.

PISANI F. et PIOTET D., *Comment le Web change le monde. L'alchimie des multitudes*, Pearson, Paris, 2008.

POULET B., *La Fin des journaux et l'avenir de l'information*, Gallimard, Paris, 2009.

REBILLARD F., *Le Web 2.0 en perspective. Une analyse socioéconomique de l'Internet*, L'Harmattan, Paris, 2007.

— *L'Information d'actualité sur l'Internet. Une approche communicationnelle*, rapport d'habilitation à diriger des recherches, 2009.

Réseaux, « Les blogs », *Réseaux*, n° 138, 2006.

— « Réseaux sociaux de l'Internet », *Réseaux*, n° 152, 2008.

— « Presse en ligne », *Réseaux*, n° 160-161, 2010.

RINGOOT R. et UTARD J.-M., *Le Journalisme en invention. Nouvelles pratiques, nouveaux acteurs*, PUR/Res Publica, Rennes, 2005.

ROSNAY J. DE (en coll. avec REVELLI C.), *La Révolte du pronetariat. Des mass média aux média des masses*, Fayard, Paris, 2006.

TARLÉ A. DE, *Presse et Internet. Une chance, un défi : enjeux économiques, enjeux démocratiques*, En Temps Réel, « Les cahiers », Paris, 2006.

TESSIER M. (et BAFFERT M.), *La Presse au défi du numérique*, rapport pour le ministre de la Culture et de la Communication, Paris, 2007, www.culture.gouv.fr/culture/actualites/rapports/tessier/rapport-fev2007.pdf.

VERNARDET J., *De l'autre côté de l'écran : les médias traditionnels et leurs sites Internet*, thèse CSO, Paris, 2004.

WAN, *World Press Trend 2010*, Wan/Ifra, Paris, 2010.

Sites Internet

« Monday Note » de Frédéric Filloux : www.mondaynote.com/frederic-filloux.

World Association of Newspapers and News Publishers : www.wan-press.org

Table des matières